GRANDE CUISINE

4 saisons, 240 recettes du chef
JEAN MONTAGARD

végétarienne

Photographies
JEAN-FRANÇOIS RIVIÈRE
Stylisme
VIRGINIE MARTIN

**Éditions
de La Martinière**

Bibliographie

Claude Belou, *Les Délices du potager*, Vie & Santé, 2001.
Collectif, *Le Larousse gastronomique*, Larousse, 1998.
Auguste Escoffier, *Le Guide culinaire*, Flammarion, 2009.
Gringoire et Saulnier, *Le Répertoire de la cuisine*, Flammarion, 2010.

Conception graphique et réalisation : Babylone 19
Photographies : Jean-François Rivière sauf page 6 © Istockimage
Stylisme : Virginie Martin
© 2013, Éditions de La Martinière, une marque de La Martinière groupe, Paris
© 2017, Éditions de La Martinière, une marque de la société EDLM
Retrouvez-nous sur :
www.editionsdelamartiniere.fr
www.facebook.com/editionsdelamartiniere
ISBN : 978-2-7324-4390-4

Le CHOIX *du* VÉGÉTARISME

Si l'acte de se nourrir répond à un besoin physiologique de l'être humain, il ne saurait se limiter à cette seule perspective. Le contexte culturel, éducatif, environnemental paramètre sans aucun doute nos choix, nos goûts et nos mœurs alimentaires. De même, nos motivations liées à la convivialité, au plaisir, voire à la sensualité de notre relation à l'aliment orientent nos choix de consommation. C'est dire combien l'acte de se nourrir est complexe !

Le végétarisme, dont le terme – même s'il s'est considérablement démocratisé – fait encore peur à certains, peut-être à cause de cette « *isme* » qui tend à enfermer des individus dans un mode de pensée exclusif et élitiste, se trouve en fait au carrefour de ces préoccupations multiples et transversales.

Ces deux dernières décennies, on remarque que le végétarisme séduit de nouveaux consommateurs et se démocratise à travers des initiatives telles que « Le lundi sans viande »[1], initié au Québec, ou encore « Jeudi Veggie »[2] initié par l'Association Végétarienne de France.

Loin d'un positionnement purement idéologique ou dogmatique, le choix d'une alimentation végétarienne intégrale ou alternée est encouragé ces dernières années par les impératifs planétaires où l'on prend conscience de l'impact de nos choix alimentaires sur le réchauffement climatique.

Les diverses motivations qui ont fondé le courant du végétarisme peuvent être très globalement reconnues sous quatre approches qui, dans le temps, ont parfois été unilatérales, mais qui de plus en plus s'interpénètrent et se superposent :

- l'aspect philosophico-religieux relève de la dimension soit morale (d'un groupe), soit éthique (d'un individu) qui présuppose qu'un esprit sain se développe de façon plus optimale dans un corps sain ;

- l'aspect sanitaire souligne le caractère préventif de santé pour l'individu qui veille à la qualité de son alimentation et au choix de ses aliments ;

- l'aspect social, géopolitique rappelle le lien étroit entre notre façon de nous nourrir *ici* (pays dits industrialisés) et l'équilibre des richesses là-bas (pays dits en développement) ;

- enfin, l'aspect défense du droit animal, plus récent, qui rappelle la condition du monde animal et sa proximité de l'humain, ne serait-ce que par sa sensibilité et sa réaction aux stress et aux peurs.

Une étude conduite en 1996 par l'Institut Pasteur indiquait que pour les végétariens ce dernier point arrive en motivation principale (94,9 %), suivi par celui du bénéfice pour la santé (87 %), et celui de la protection de l'environnement (78,6 %), celui de l'aide au tiers-monde (65,6 %) et enfin les raisons religieuses ou philosophiques (54,5 %).

---

1. http://www.lundisansviande.net/
2. http://un-jour-vegetarien.fr/

Un CHOIX *de* SANTÉ

Il est éclairant de constater que le facteur « santé » reste l'une des motivations essentielles du végétarisme dans le temps, même si des implications altermondialistes apportent ces dernières années un engagement plus sociétal.

Ceci est d'autant moins surprenant que les nombreux épisodes sanitaires autour du « poulet à la dioxine », de la « vache folle », des « farines animales », de la viande de cheval retrouvée dans des plats dits préparés à base de viande de bœuf ont livré le végétarisme aux médias sur un plateau-repas !

Des études sérieuses sur la nutrition indiquent les effets négatifs de la consommation d'aliments d'origine animale, tels que les maladies chroniques, ou l'augmentation des risques de cancer. Par ailleurs, les alimentations végétariennes équilibrées sont bonnes pour la santé et bénéfiques pour la prévention et le traitement de certaines maladies.

Malgré la reconnaissance de ces méfaits et bienfaits, les autorités, sous le poids des lobbies, prennent parfois des mesures étonnantes. Je pense ici à cette décision prise en juillet 2012, par la Commission Européenne, d'autoriser l'utilisation, pour les poissons d'élevage, des « protéines animales transformées » (nouveau libellé se substituant à celui de « farines de viande et d'os »)[3].

Un CHOIX HUMANITAIRE

Autre constat, autre réalité : celui de l'équilibre des richesses.

La production de céréales sur la planète est suffisante pour nourrir tout le monde. Or, une grande partie de cette production est utilisée pour nourrir les animaux destinés à la consommation.

7 kg de protéines végétales pourraient ainsi nourrir 140 personnes par jour. Donnés aux animaux, ils sont convertis en 1 kg de protéine animale, ce qui suffit à peine pour nourrir 20 personnes par jour.

En somme, nous privilégions un mode alimentaire excessivement carné, et les goûts alimentaires de quelque 15 % de la population mondiale. Aux dépens de l'autre partie de la planète, quelque 85 %, pour qui la céréale ou la légumineuse est l'aliment de base, pour ne pas dire de survie.

Cette prise de conscience là doit mobiliser notre vigilance, notre réflexion et nos choix, pour comprendre, autant que faire se peut, l'incidence de nos consommations – alimentaires entre autres – sur notre santé, sur notre relation à l'environnement, et sur le type de société que nous aimerions pour demain.

Nos rendez-vous quotidiens avec notre assiette nous offrent des choix qui ont inévitablement, aussi, une incidence économique.

Concilier nos cultures et nos traditions alimentaires avec l'équilibre de notre terre nourricière va s'imposer comme une nécessaire, vitale et humaine obligation.

Le végétarisme me paraît digne d'intérêt et novateur parce qu'il est le lieu d'une possible prise de conscience et le déclencheur d'initiatives pour la société et l'environnement :

- démarche éducative et préventive sur le plan sanitaire ;

- développement de la créativité culinaire par la découverte de nouvelles saveurs ;

- contribution à un équilibre des richesses nutritionnelles entre Nord et Sud ;

- réappropriation d'un acte de consommation posé par des citoyens responsables ;

- influence certaine sur le contexte écologique par la protection de l'environnement

3. *Le Monde* « Dossiers & Documents n° 428, mars 2013, Rubrique « Sciences », p. 11

Notre santé personnelle et la santé de la planète sont faites pour dialoguer. Notre équilibre personnel, le monde animal, le règne végétal, notre relation à nous-mêmes, aux autres, notre économie mondiale... sont autant de facteurs qui s'interpénètrent inévitablement et inexorablement. Notre déformation passée nous avait fait croire à leur séparation. Il nous appartient de participer, même humblement, à les réconcilier et à les inscrire dans une dynamique communicative, ouverte, généreuse, humanisée.

Tout ceci étant dit au niveau de la réflexion, de la conscience et du mental, pour que changent nos comportements.

Le CHOIX du PLAISIR

Restent nos palais et notre plaisir.

Et ce ne sont pas là les moindres des aspects, car ils rappellent ce lien ancestral de la convivialité, du partage, et du gustatif !

Pour eux, mon ami, **le chef Jean Montagard exerce avec talent et créativité son art. Il fait danser les aliments, et compose ses menus comme d'autres composent une symphonie ou écrivent un poème.**

La cuisine végétarienne demande au moins deux choses.

D'une part, un équilibre nutritionnel pour associer les céréales et les légumineuses afin de permettre la nécessaire complémentarité protéinique.

D'autre part, l'ingéniosité pour composer des mets sains, savoureux, et savoir élaborer des recettes diversifiées.

Le végétarisme a eu son histoire, ses radicaux et ses libéraux, ses témoignages, parfois – il faut le dire par souci de rigueur intellectuelle – quelque peu empreints de rigidité, de tristesse et de non-communicabilité.

La cuisine de Jean Montagard, assurément, a ouvert la voie à une gastronomie bio-végétarienne, et ce à une époque où elle n'avait pas l'engouement qu'on peut lui prêter aujourd'hui.

Bonne découverte donc et Bon appétit !

(Je dédie cette préface à Alain Darasse, par lequel j'ai eu le privilège de faire la connaissance de Jean Montagard, il y a pratiquement vingt-cinq ans.)

Philippe COURBON
Éducateur de santé nutritionniste
Conférencier et consultant
Directeur du cabinet IDEE
(Site : www.cabinetidee.com)
Chargé de mission du CIIDHUM

Sommaire

Les termes techniques signalés par un astérisque* sont expliqués dans le glossaire p. 381-383.

« *Au grand banquet des êtres,*
c'est la plante qui tient table ouverte
aux populations de la Terre. »

Jean-Henri FABRE

ÊTRE OU NE PAS ÊTRE… VÉGÉTARIEN ?

À l'instar de tous les amoureux de la cuisine, ma passion trouve ses racines dans un souvenir d'enfance. En effet, mes parents possédaient une résidence secondaire, assez vaste et accueillante pour y réunir de nombreux amis chaque week-end. Et je me souviens particulièrement de ces repas, conviviaux, goûteux et si généreux, qui se prolongeaient dans la joie et la bonne humeur.

Plus tard, lors de mes années de formation au sein de l'École hôtelière de Nice, je retrouvai ce même désir fondamental de contenter, cette même envie essentielle de donner du bonheur aux gens, et depuis, je n'ai jamais cessé d'en cultiver toute la richesse et la diversité.

Car être cuisinier, c'est se passionner pour les produits que l'on travaille, leurs couleurs, leur forme, leur texture, leur goût. Être cuisinier, c'est s'ouvrir aux autres cultures, par les voyages et les rencontres ; c'est, par la créativité, entretenir un lien privilégié avec ceux qui nous entourent.

J'ai débuté à une époque – les années 1960, les Trente glorieuses – où l'industrialisation forcenée de notre agriculture et de notre élevage – suivant le modèle américain – se présentait comme la seule expression d'une société en plein essor. Et pour soutenir cette surconsommation effrénée, la diététique officielle préconisait cent grammes de viande ou de poisson (ou deux œufs) et fromage à tous les repas ; socialement, si vous ne pouviez respecter ce plan alimentaire, c'est que vous n'étiez pas « arrivés », et ceux qui allaient à l'encontre de cette consommation programmée étaient largement déconsidérés.

Mais bientôt – avec Mai 1968 pour point d'orgue – c'est tout un pan de la société, souvent jeune et avide de changements, qui entra en contradiction avec la pensée politique de l'époque. La philosophie non violente – initiée et immortalisée par Gandhi –, les questions d'environnement et de surconsommation trouvèrent un certain écho, et la minorité écologiste se mit à souligner les dangers de la chimie appliquée à l'agriculture ; un retour à une agriculture raisonnée, à une alimentation respectueuse du corps et de la nature se posait en alternative nécessaire.

Pour ma part, mon éveil au végétarisme fut le fruit conjoint d'une question de santé familiale et de ma rencontre – en 1971, en Corse – avec les époux Pierre et Claudine Lazat, fervents apôtres de la non-violence et disciples de Lanza del Vasto (1901-1981). Pour beaucoup, en ce début des années 1970, le mouvement végétarien n'était qu'un énième avatar de la vague hippie ; nous n'étions considérés que comme des marginaux « de retour de Katmandou ».

Mais rien ne pouvait entamer mes certitudes et je me mis à tester de nombreuses pratiques alimentaires alternatives dérivées du végétarisme (macrobiotique, végétalisme, alimentation dissociée de Shelton…), tout en gardant un pied dans la gastronomie traditionnelle, de par mes fonctions officielles (professeur de cuisine de l'Éducation nationale).

En 1978, je créai à Menton L'*Artisan gourmand*, premier restaurant végétarien cité par le Gault & Millau. Cette même ville m'offrit également le lieu de mes premières aventures industrielles, avec les plats cuisinés appertisés pour la chaîne de boutiques *La Vie Claire*. C'est l'époque, encore, où j'animais la formation « cuisine végétarienne », mention complémentaire ouverte à l'initiative de l'Académie de Nice.

À partir de 1980, j'enchaîne les aventures éditoriales extraordinaires avec *Les Contes à manger*, puis *Les Délices du jardin* et sous la houlette des éditions Jean-Pierre Taillandier : *Mes recettes saines et gourmandes* de Rika Zaraï, *Le Guide des restaurants verts*, *La Cuisine végétarienne en collectivités et restaurants d'entreprise* avec René Augier, *Guide des restaurateurs verts*… En 1996, je signe un numéro « spécial végétarien » pour le magazine professionnel *Thuries* (n° 79) ; dans la foulée, je collabore durant trois ans au magazine mensuel *Cuisine santé*, en fournissant le menu végétarien du mois. En 1997, j'ouvre *Le Montagard* à Cannes ; pendant cinq ans ce restaurant est cité dans de nombreux guides et revues culinaires pour les qualités gustatives et novatrices de cette cuisine.

Durant toutes ces années, tout au long de la formation classique que je dispense (au Lycée hôtelier Paul Valéry, à Menton, durant onze ans, puis deux ans au Lycée Auguste Escoffier, à Cagnes-sur-mer, et à l'École hôtelière de Nice de 1988 à 2007), je sensibilise mes élèves aux produits issus de l'agriculture bio, et leur apprends à favoriser la « garniture » dans les plats principaux tout en diminuant la quantité de viande ou de poisson. Aujourd'hui, j'éprouve beaucoup de plaisir à entendre d'anciens élèves me dire : « Chef ! vous aviez raison, tout ce que vous pouviez nous dire sur le bio et le végétarisme se confirme. »

Le végétarisme est au cœur de ma cuisine et repose sur des convictions personnelles fortes. Je suis toujours aussi désireux de le faire connaître au plus grand nombre. Et même si les mentalités ont évolué vers une consommation accrue de produits de proximité et de saison – ouvertures de plusieurs enseignes de magasin bio et multiplication des AMAP –, pour beaucoup, manger végétarien se résume à manger triste et sans goût des légumes à la vapeur.

Jean Montagard, militant ? Bien entendu. Là où il y a de la passion, il y a engagement, volonté de convaincre et de partager. En proposant ces recettes goûteuses et gourmandes, je veux offrir le vrai visage du végétarisme, celui que j'ai toujours connu et travaillé, celui des couleurs et des associations, des aromates et des épices, de la supériorité des protéines végétales sur les protéines animales, mais surtout celui du plaisir de manger dans la convivialité.

À travers mon parcours et mes recherches, je pense avoir su hisser le végétarisme au rang de gastronomie à part entière. À vous de découvrir et de faire vivre ces recettes gourmandes.

QU'EST-CE QU'UNE ALIMENTATION VÉGÉTARIENNE ?

Dans les philosophies alimentaires qui « tournent autour » du végétarisme, on distingue :

- les végétaliens (*vegan* en anglais, francisé *végane*) qui ne consomment aucune chair animale, ni œufs, ni lait, ni ses dérivés (crème, beurre et fromages) ;

- les ovo-végétariens, qui ne consomment ni lait ni ses dérivés ;

- les lacto-végétariens, qui ne consomment pas d'œufs ;

- les crudivoristes, qui n'acceptent pas les aliments cuits ;

- la macrobiotique, initiée par Oshawa dans les années 1930, en Belgique, qui repose sur une alimentation à base de céréales et de légumineuses, d'algues, de scitan et tous les dérivés du soja.

J'ai expérimenté tous ces « modes alimentaires » afin d'en connaître les effets et de pouvoir maîtriser les produits auxquels ils font appel.

Mes recettes reposent essentiellement sur une alimentation ovo-lacto-végétarienne, avec des produits issus de l'agriculture biologique ou en biodynamique (commercialement Demeter, méthode de culture initiée par Steiner dans les années 1920), qui comprend :

- les œufs, le lait et ses dérivés ;

- les corps gras végétaux et tous les oléagineux ;

- toutes les céréales, les légumineuses et leurs dérivés ;

- les épices et les aromates ;

- tous les fruits et les légumes ;

- les algues, les aliments végétaux lactofermentés, le seitan, le tofu et ses dérivés, la levure alimentaire maltée.

Le végétarisme (ovo-lacto) est au cœur de ma cuisine et repose sur des convictions personnelles et gustatives. Ayant l'expérience de chef de cuisine traditionnelle française depuis de nombreuses années, j'ai su hisser la cuisine végétarienne au rang de gastronomie sans viande ni poisson. À travers les textures, les couleurs, les associations, les aromates et les épices, je souhaite que chacun trouve le plaisir de se restaurer dans la convivialité. C'est pourquoi 65 de mes recettes sont spécifiquement végétaliennes. Pour les autres, il suffit de remplacer le beurre par un corps gras végétal, et le lait par un jus de céréales (ex : lait d'amande, de riz, d'épeautre) ou de soja. Il est plus difficile, en revanche, de remplacer l'œuf ! Mais dans certains cas, il peut être supprimé, notamment dans la panure où il peut être remplacé par un mélange d'eau et d'arrow-root à 50 %. Pour les personnes intolérantes au gluten, 87 recettes leur sont destinées. Mais de nombreuses autres recettes réalisées entre autres avec du petit épeautre ou quelques grammes de chapelure pourront satisfaire les intolérants moins stricts ! La farine de blé type 65, quant à elle, peut aisément être remplacée par une farine sans blé.

Et comme l'a écrit Coco Jobard : « Le bon choix, la fraîcheur du produit, la simplicité pour le cuisiner, le temps nécessaire pour le préparer, la maîtrise du feu, un zeste de patience et d'amour, voici les ingrédients de la réussite. Car la cuisine, c'est le charme, la séduction, le partage et surtout l'amour des autres. »

PRÉSENTATION DES PRODUITS

Les ALGUES

Agar-agar : mélange d'algues, c'est un gélifiant naturel végétal pour toutes les préparations salées ou sucrées. Il est une alternative intéressante aux feuilles de gélatine.

Dulse : sa texture et sa forme rappellent la finesse des feuilles de laitue.

Iziki : cette algue renferme quatorze fois plus de calcium que le lait et est très riche en minéraux.

Kombu : délicieusement iodé, il donne un très bon goût aux bouillons et se consomme comme un légume.

Mélange de la mer ou salade de la mer : mélange de différentes algues. Très facile d'utilisation, il parfume ou assaisonne une farce, un beurre blanc…

Nori : cette algue contient beaucoup de protéines, de phosphore et de vitamine A et C. Elle est présentée en paillettes ou reconstituée en plaques pour la réalisation des sushis. Elle peut servir d'enveloppe pour la présentation de céréales ou de farces.

Spaghettis de la mer : ces algues donnent un excellent résultat en friture. Piquées, elles animent le décor de l'assiette. Servies en apéritif, elles remplacent avantageusement les chips.

Les AROMATES *et les* ÉPICES

Cébette : variété d'oignons nouveaux que j'aime utiliser et que l'on appelle, suivant les régions, oignons nouveaux, jeunes cèbes…

Flocons de tomate : tomates déshydratées en flocons que l'on utilise pour renforcer le goût de la tomate ou la colorer davantage, pour épaissir une préparation tomatée mais aussi pour donner une touche finale à l'assiette.

Hot Pepper : sauce piquante à base de chili, sel de mer et vinaigre d'eau-de-vie. On doit l'utiliser avec parcimonie : 1 à 2 gouttes suffisent pour assaisonner agréablement les préparations.

Macis : je préfère cette résille de fibres qui enveloppe la noix de muscade à la noix elle-même. Sa saveur est plus raffinée. Son utilisation sous forme de poudre est plus pratique.

Paprika : c'est tout simplement du piment de Hongrie, séché au soleil puis pulvérisé. Le paprika bio est supérieur en qualité au paprika classique, comme toutes les épices bio d'ailleurs.

Les CÉRÉALES *et leurs* DÉRIVÉS

Avoine et flocons d'avoine : cette céréale est très riche en protéines et en lipides, elle est réputée très énergétique. Ne renferme pas de gluten.

Chapelure : pain séché, râpé et tamisé utilisé pour paner, lier ou gratiner… Plus économique que la mie de pain tamisée et plus goûteuse si on utilise du pain bio semi-complet.

Crème de céréales : en farines précuites à la vapeur, les crèmes de céréales (riz, avoine, épeautre, orge, quinoa et 5 céréales) sont vendues en sachets sous forme de poudre. Initialement destinées à des bouillies pour jeunes enfants, elles sont idéales pour les liaisons en cuisine. Sous forme liquide, en briques de 20 cl, les crèmes de céréales (riz, avoine, épeautre, orge), de légumineuses (soja) ou d'oléagineux (amande) sont des alternatives très intéressantes à la crème fraîche de vache.

Épeautre : ancêtre du blé, cette céréale est riche en phosphore, magnésium, fer, vitamines B1 et B9.

Farine de blé complet : farine obtenue à partir de céréales au blé complet, par mouture lente sur meule de pierre. Il en existe plusieurs types :
type 110 : c'est une farine complète intégrale ; type 80 : c'est une farine semi-complète ; type 65 : c'est une farine un peu moins complète que le type précédent ; type 55 : c'est une farine blanche dont les valeurs nutritives sont en moyenne 60 % inférieures à la farine complète.

Farine de maïs : très riche en hydrates de carbone, cette farine est rapidement assimilée par l'organisme.

Feuilles de brick : fine crêpe faite de farine, d'eau et de blanc d'œuf est une spécialité des cuisines tunisienne et libanaise.

Flocons 5 céréales : mélange de plusieurs céréales complètes précuites et laminées que j'aime bien utiliser et que je privilégie par rapport aux flocons d'une seule céréale.

Kasha : graines de sarrasin torréfiées, très utilisées dans la cuisine d'Europe centrale.

Lait de riz : fabriqué à base de riz, il est une alternative au lait de vache.

Millet : très riche en magnésium, en phosphore et contenant de l'acide silicique, cette céréale plaît aux enfants.

Orge : cette céréale douce et très digeste contient des protéines et est riche en amidon.

Orge mondé : cette céréale rafraîchissante indiquée en été est une graine simplement décortiquée, très riche en vitamines B3 et E, en potassium, phosphore et magnésium.

Orge perlé : graine blanchie et appauvrie en substances nutritives.

Pain semi-complet : pâte réalisée avec une farine blutée à 80 % environ. Mieux adapté à nos modes de vie que le pain complet, il reste cependant bien supérieur en qualité nutritive que le pain blanc.

Quinoa : cette céréale qui cuit très facilement est très riche en protéines. C'est également une très bonne source de minéraux et de vitamines.

Riz complet, riz semi-complet, farine de riz : céréale la plus répandue dans le monde. Grande qualité de protéines caractérisée par une teneur exceptionnelle en acides aminés. Le riz complet contient d'importantes quantités de vitamines, notamment celles du groupe B. Je privilégie le riz français de Camargue, qui est excellent et de très bonne qualité. La farine de riz est obtenue par mouture du riz sur une meule de pierre.

Sarrasin : cette céréale qui n'appartient pas à la famille des graminées est très riche en magnésium. Elle demande une cuisson rapide. La farine de sarrasin est obtenue par mouture du sarrasin sur une meule de pierre.

Seitan : préparé à partir du gluten contenu dans la farine de blé et est très riche en protéines. Fait maison ou de fabrication artisanale, il sera plus souple et plus goûteux.

Semoule de blé très fine, semoule de couscous, boulgour : le blé est la céréale qui contient le plus de gluten. Haute teneur en protéines et grande diversité de minéraux.

Semoule de maïs : graines de maïs moulues.

Les CONDIMENTS

Miso d'orge : tout comme le tamari préparé à base de soja, les fèves de soja et les graines d'orge sont cuites et mélangées à du koji (préparation ensemencée par l'*Aspergillus oryzae*). Il suffit de délayer un peu de miso dans de l'eau ou du jus de cuisson et de l'ajouter dans une préparation. C'est une alternative intéressante aux bouillons de viande ou de poisson.

Moutarde en poudre : graines de moutarde réduite en poudre au mortier. La moutarde anglaise, qui est en poudre, donne également de très bons résultats.

Tamari : liquide issu de la fermentation naturelle du soja, il assaisonne et parfume une préparation. Il doit être utilisé avec parcimonie.

Les CORPS GRAS VÉGÉTAUX

Graisse végétale : graisse de palme, de coprah et/ou de coco. La graisse de palme est extraite de la pulpe orangée du fruit du palmier à huile. Son point de fusion oscille entre 30 et 33 °C et ne brûle pas en dessous de 250 °C. La graisse de coprah ou de coco est surtout composée d'acides gras saturés.

Huile d'olive : possédant beaucoup de vertus, c'est le plus digeste des corps gras. En cuisine, elle a ma préférence pour ses nombreuses qualités mais également comme empreinte de mes origines.

Huile de tournesol : très riche en acide linoléique.

Les LÉGUMINEUSES *et leurs* DÉRIVÉS

Crème de soja : émulsion de lait de soja avec une huile végétale, liée avec la gomme de guar ou la gomme xanthone. Elle est utilisée comme substitut à la crème fraîche de vache. La crème de soja lactofermentée (obtenue grâce à l'action de ferments sélectionnés cultivés sur une base végétale) est plus digeste.

Lait de soja : la graine de soja est broyée, filtrée pour donner le jus de soja ou le lait de soja, utilisé comme substitut au lait de vache dans l'alimentation végétarienne.

Pois cassés : graines de pois verts séchées, décortiquées et cassées en deux. La farine de pois cassés est la graine de pois cassés moulue à la meule de pierre.

Pois chiches : ils contiennent 20 % de protéines, 6 à 10 % de lipides et une valeur vitaminique comparable à celle de l'huile de foie de morue. La farine de pois chiche est obtenue par mouture de pois chiches lente sur une meule de pierre.

Protéines de soja texturé : farine issue de graines de soja qui a été extrudée.

Tempeh : fabriqué à partir de graines de soja cuites ensemencées de *Rhisopus oligosporus*, un champignon qui déclenche un processus de fermentation. C'est un aliment traditionnel indonésien, riche en protéines, en fer, en calcium et en vitamines du groupe B.

Tofu : pâte issue de la coagulation du lait de soja. La consistance du tofu rappelle celle d'un morceau de fromage et sa qualité lui permet de fixer les parfums des préparations dans lesquelles on le cuisine. Parfaitement digeste, il est très riche en protéines et en matières grasses polyinsaturées. Commercialisé appertisé sans réfrigération, sa qualité est moins bonne que celui commercialisé pasteurisé avec réfrigération. C'est ce dernier que je privilégie. Il existe aussi la commercialisation « soyeux », idéal pour des entremets sucrés ou des sauces « dressing » mixées. Le tofu lactofermenté (uniquement en circuit réfrigéré) est riche en probiotiques actifs.

Les LEVURES

Levure alimentaire maltée : moins amère que la levure alimentaire, et de saveur plus agréable par son apport de malt d'orge en général, elle est d'une richesse exceptionnelle en vitamines du groupe B, B1, B2, PP, B5 et B9. Elle transforme également 40 % de protéines riches en lysines et en sels minéraux, surtout en fer. Elle apporte un goût carné aux farces.

Les OLÉAGINEUX

Graines de courge : contiennent des protéines végétales, des oligo-éléments et des stérols.

Graines de lin : possèdent des oméga 3, qui sont des acides gras polyinsaturés.

Graines de sésame : les petites graines de sésame blanc, complet ou noir sont une précieuse source de lécithine, riche en acides gras, acides aminés essentiels et minéraux (tout particulièrement en calcium).

Graines de tournesol : consommées crues ou grillées, elles contiennent des protéines et sont riches en vitamines D, E, K et B.

Lait d'amande : préparation à base d'amande, d'eau et de maïs maltodextrinisé.

Tahin : purée de sésame. Il existe le tahin blanc et le tahin complet, réalisé avec des graines de sésame complètes. J'utilise uniquement le tahin blanc, plus doux et moins astringent.

DIVERS

Arrow-root : fécule blanche provenant de la racine d'une plante tropicale ou subtropicale : le maranta. Son goût est neutre et son aspect translucide. Il sert pour des liaisons ou pour compléter des farines. Son utilisation est identique à la Maïzena® ou à la fécule de pomme de terre. J'utilise l'arrow-root, qui donne une meilleure viscosité et qui est d'un apport nutritionnel plus intéressant.

Tapioca : fécule extraite des racines de manioc.

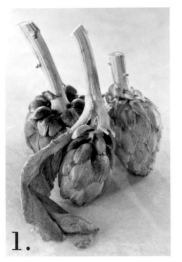

1.

2.

3.

Portfolio

1. artichaut
2. brocoli
3. aubergine
4. tomate
5. courgette
6. concombre

4.

5.

6.

c'est l'ÉTÉ

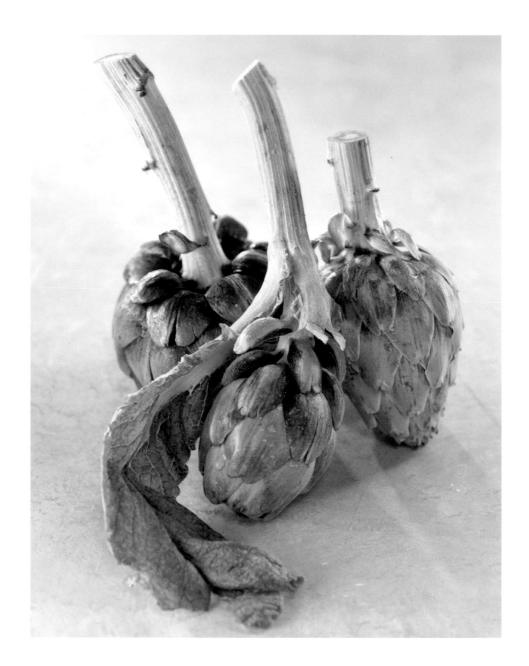

Artichaut

Cette plante potagère est une variété améliorée du chardon.
Introduit en France à la fin du XVe siècle, l'artichaut est aujourd'hui cultivé
en Bretagne, dans le Roussillon et en Provence.
Les trois principales variétés sont le gros vert de Laon, le camus de Bretagne
et le vert de Provence.
Il se prête à de nombreuses et savoureuses combinaisons culinaires.
Jeune et par conséquent très tendre, il se déguste cru, à la croque-au-sel.
Il se cuisine entier, en quartiers ou en fonds.

MÉLANGE *de* LÉGUMES et *d'*ARTICHAUTS *à la* GRECQUE

Agréablement parfumé, ce plat est un grand classique culinaire. Généralement servi en entrée et à température ambiante, il peut se préparer la veille : les légumes marinés dans l'émulsion n'en seront que meilleurs.

PRÉPARATION
20 minutes

CUISSON
30 minutes

Pour 4 personnes

MARCHÉ
300 g de champignons de Paris
2 gros artichauts
200 g de chou-fleur
1 petit bulbe de fenouil
1 oignon blanc
2 blancs de poireaux
1 citron
1/2 cuil. à café de sucre
2 cuil. à soupe d'huile d'olive + 5 cl

25 cl de vin blanc sec
1 cuil. à café de graines de coriandre moulues
1 bouquet garni
1 pincée d'herbes de Provence
1 cuil. à café de persil haché
Sel
5 tours de moulin à poivre

Éplucher et laver les légumes. Couper le chou-fleur, le fenouil, l'oignon et les poireaux de la grosseur des champignons de Paris.

Tourner* les artichauts, retirer le foin s'il s'agit d'artichauts bretons, le laisser si ce sont des artichauts de Provence, couper en quartiers.

Dans un faitout, chauffer 2 cuillerées à soupe d'huile d'olive et faire rissoler sans coloration l'oignon pendant 5 minutes puis ajouter les poireaux, baisser le feu et cuire 5 minutes.

Bien mélanger puis ajouter le fenouil avec la coriandre, le poivre, les herbes de Provence et le bouquet garni, cuire 5 minutes.

Mettre le reste des légumes, faire cuire 4 minutes en remuant de temps en temps.

Verser le vin blanc, le jus du citron et saler.

Amener à ébullition, poser un rond de papier sulfurisé sur la préparation et cuire 4 à 5 minutes à feu vif.

Égoutter tous les légumes.

Faire réduire aux deux tiers le jus de cuisson, puis mixer en incorporant les 5 cl d'huile d'olive avec le sucre, rectifier l'assaisonnement.

Mélanger les légumes égouttés à cette émulsion.

Servir à température ambiante avec le persil haché.

ARTICHAUT *de* PROVENCE *en* BAGNA CAUDA

Sans gluten
—
VEGAN

Ce « bain chaud » typiquement provençal est une sauce parfumée aux aromates, dans laquelle on trempe des légumes crus épluchés et lavés.

PRÉPARATION
20 minutes

CUISSON
2 minutes

Pour 4 personnes

MARCHÉ
4 petits artichauts
4 champignons de Paris crème
1 carotte
1 petit cœur de céleri-branche
2 tomates
1/2 botte de radis
1 petit concombre
1 petit poivron rouge
1 petit bulbe de fenouil
1 petit brocoli
250 g de salade mélangée
   (cresson, mesclun, scarole)

Pour la sauce
1/2 cuil. à soupe rase de sel
1 cuil. à café de sucre
1 cuil. à soupe de moutarde à l'ancienne
1 à 2 citrons (suivant leur teneur en jus)
20 cl d'huile d'olive
3 gousses d'ail écrasées
2 feuilles de sauge
1 feuille de laurier
1 pincée de thym séché ou frais
1 pincée de sarriette séchée ou fraîche
1 cuil. à soupe de tamari
Hot Pepper
2 cébettes finement émincées
1/2 paquet de ciboulette émincée
1 cuil. à soupe bien remplie de chaque
   herbe : persil plat, basilic et cerfeuil

Éplucher et laver les légumes. Détailler le brocoli en bouquets, le fenouil et les tomates en quartiers, le poivron épépiné, le concombre, la carotte et le céleri en lanières. Laisser les champignons, les radis et les artichauts entiers.

Disposer harmonieusement tous ces légumes sur un lit de salade mélangée, dans un panier en osier ou un saladier en bois d'olivier.

Pour la sauce, réunir tous les ingrédients dans un poêlon, amener à ébullition en mélangeant avec un petit fouet et retirer du feu aussitôt.

Répartir la sauce très chaude avec une petite louche dans quatre coupelles et y tremper les légumes avant de les croquer.

ÉMINCÉ *de* FONDS *d*'ARTICHAUT « BARON BRISSE »

Le baron Brisse était un journaliste gastronomique sous le Second Empire, célèbre pour sa gourmandise qui lui inspirait chaque jour un menu différent. Cette recette fraîche et très agréable se prépare à l'avance et peut se conserver au réfrigérateur.

PRÉPARATION
20 minutes
CUISSON
3 minutes
Pour 4 personnes

MARCHÉ
4 gros artichauts
4 tomates bien mûres
1 citron
3 cl d'huile d'olive
1 cuil. à soupe de persil haché
1 cuil. à soupe de cerfeuil haché
Sel, poivre du moulin

Sans gluten
—
VEGAN

Monder* les tomates puis les passer au moulin à légumes afin d'obtenir une purée fraîche.

Tourner* les artichauts, retirer le foin et les émincer en tranches de 3 mm environ.

Plonger les artichauts émincés dans de l'eau bouillante salée pendant 1 minute.
Les retirer aussitôt et stopper la cuisson en les plongeant dans une eau glacée. Les égoutter.

Dans une cocotte, chauffer l'huile d'olive puis y verser les tranches d'artichaut quelques secondes afin de les « raidir ».

Ajouter la purée de tomates, le jus du citron, les herbes hachées, du sel et du poivre.
Amener à ébullition, laisser mijoter 2 minutes puis retirer du feu.

Déguster frais mais non glacé.

ARTICHAUT FARCI *à la* BARIGOULE

À l'origine, les artichauts étaient farcis avec des champignons lactaires délicieux que l'on appelle des « barigoules », d'où cette appellation provençale.

PRÉPARATION

20 minutes

CUISSON

45 minutes

Pour 4 personnes

MARCHÉ

4 gros artichauts
200 g de champignons de Paris
200 g d'oignons
200 g de carottes
80 g de céleri-branche
6 gousses d'ail
1 citron
100 g de seitan
80 g de chapelure
2 jaunes d'œufs

1 cuil. à soupe de parmesan râpé
10 cl de vin blanc sec
1 cuil. à café de miso d'orge
5 cuil. à soupe d'huile d'olive
1 cuil. à soupe de persil haché
1 pincée de thym, de sarriette, de sauge
    et de romarin hachés finement
1 cuil. à café de coriandre en poudre
Sel
5 tours de moulin à poivre

Tourner* les artichauts, retirer le foin et bien les citronner pour éviter qu'ils noircissent.

Éplucher et hacher finement deux gousses d'ail. Éplucher et laver les oignons, les carottes et le céleri. Trier et laver les champignons.

Hacher au couteau le seitan. Ciseler finement 100 g d'oignons et détailler en fine brunoise* 100 g de carottes et 40 g de céleri. Concasser les champignons de Paris.

Dans une cocotte chauffer 3 cuillerées à soupe d'huile d'olive et faire rissoler les oignons ciselés, ajouter le seitan haché, prolonger la cuisson quelques minutes puis ajouter les champignons hachés, les carottes et le céleri, deux gousses d'ail et le persil hachés ainsi que toutes les herbes aromatiques, la coriandre et le poivre. Cuire à petit feu jusqu'au dessèchement complet de la préparation.

La retirer du feu, y ajouter les jaunes d'œufs, la chapelure et le parmesan, bien mélanger. Rectifier l'assaisonnement en sel.

Chauffer un plat à gratin avec 2 cuillerées à soupe d'huile d'olive et y faire suer 100 g d'oignons, 100 g de carottes et 40 g de céleri émincés finement avec quatre gousses d'ail écrasées pendant 5 minutes puis déposer sur les légumes les quatre fonds d'artichaut.

Garnir très généreusement toutes les cavités des artichauts de la farce confectionnée précédemment. Verser dans le plat le vin blanc et le miso dilué dans 10 cl d'eau. Couvrir d'une feuille de papier sulfurisé et cuire au four préchauffé à 180 °C (th. 6) pendant 40 minutes.

Arroser les artichauts avec le restant du jus de cuisson et servir avec les légumes émincés.

ŒUF POCHÉ *sur* FOND *d'*ARTICHAUT, SAUCE HOLLANDAISE *au* CITRON

La finesse de la chair de l'artichaut associée au velouté du jaune d'œuf
et à l'onctuosité de la sauce hollandaise au citron font de ce plat un moment de fête.

PRÉPARATION
20 minutes

CUISSON
18 minutes
Pour 4 personnes

MARCHÉ
4 gros artichauts
100 g de pommes de terre
100 g de courgettes
1 citron
4 œufs
20 g de beurre
1 pincée de macis
2 cuil. à soupe de vinaigre d'alcool
1/2 cuil. à café de paprika
Sel

Pour la sauce hollandaise
200 g de beurre
4 jaunes d'œufs
1 citron
Sel, Hot Pepper

Sans gluten

Tourner* les fonds d'artichaut, retirer le foin et bien citronner les fonds.

Porter à ébullition une casserole d'eau salée. Y plonger les fonds d'artichaut avec le reste de jus de citron, cuire environ 10 minutes (les fonds doivent rester fermes). Retirer du feu et garder les fonds dans leur jus de cuisson.

Éplucher les pommes de terre, les émincer avec les courgettes et les cuire dans de l'eau bouillante salée pendant 15 minutes.

Passer au moulin à légumes les pommes de terre et les courgettes bien égouttées.

Ajouter le beurre en mélangeant énergiquement avec le macis et rectifier l'assaisonnement en sel.

Porter à ébullition dans une casserole de l'eau avec le vinaigre puis y pocher les quatre œufs pendant 3 minutes environ. Les retirer délicatement avec une écumoire et les plonger dans une eau glacée pour stopper la cuisson.

Préparer la sauce hollandaise. Mettre le beurre au bain-marie afin de le clarifier*.

Dans un saladier disposer les quatre jaunes d'œufs, le zeste d'un demi-citron, le jus du citron et 3 cuillerées à soupe d'eau.

Poser le saladier sur un bain-marie et fouetter constamment afin de réaliser un sabayon (la préparation va épaissir, doubler de volume et prendre la consistance d'une chantilly). Retirer très vite le saladier du feu et incorporer petit à petit le beurre fondu en fouettant. Éviter de verser le petit-lait qui arrive après le beurre fondu. Saler et incorporer le Hot Pepper.

Au moment de servir, égoutter les fonds d'artichaut, plonger les œufs pochés dans de l'eau bouillante pendant 30 secondes pour les chauffer, puis les égoutter et les déposer dans les cavités des fonds d'artichaut.

Sur chaque assiette poser un artichaut garni avec, à côté, une belle rosace de purée de légumes. Napper les œufs pochés de sauce hollandaise. Saupoudrer de paprika et servir aussitôt.

RISOTTO *aux* ARTICHAUTS

Ce plat est l'un des plus subtils, des plus savoureux et des plus emblématiques du patrimoine culinaire italien. Originaire du nord de l'Italie, les premières références datent de 1475. C'était l'un des plats préférés de Stendhal, qui séjourna longtemps dans la péninsule.

PRÉPARATION
20 minutes

CUISSON
15 minutes
Pour 4 personnes

MARCHÉ
3 gros artichauts
200 g de riz carnaroli
1 citron
20 g de beurre + 30 g
80 g d'oignons
30 g de miso d'orge
80 g de parmesan râpé
10 cl de crème de soja ou de crème de riz
2 cuil. à soupe d'huile d'olive

Sans gluten

Tourner* les artichauts et retirer le foin, les citronner généreusement et les émincer finement.

Ciseler finement les oignons. Diluer le miso dans 50 cl d'eau.

Dans une cocotte à fond épais chauffer l'huile d'olive et 20 g de beurre puis verser les oignons ciselés en remuant souvent (attention les oignons ne doivent pas noircir, seulement blondir).

Ajouter le riz, bien mélanger pendant 2 minutes afin de le nacrer, puis ajouter un quart de litre de bouillon de miso, cuire vivement à petite ébullition en remuant fréquemment.

Dès que le riz devient trop sec, incorporer les artichauts émincés et le restant de bouillon.

Goûter le riz de temps en temps : lorsqu'il est à point et qu'il reste peu de bouillon, incorporer le parmesan râpé et les 30 g de beurre coupés en morceaux, monter l'intensité du feu, remuer énergiquement et, pour accentuer la consistance crémeuse, ajouter la crème de soja ou de riz.

Servir très, très chaud.

FRICASSÉE *d'*ARTICHAUTS *et* POLENTA *de* MAÏS

La fricassée est une préparation très ancienne qui s'applique à des ragoûts de viande. Dans la fricassée à la périgourdine, on fait rissoler les légumes avec de la graisse d'oie…

PRÉPARATION
40 minutes

CUISSON
30 minutes
Pour 4 personnes

MARCHÉ
Pour la fricassée

2 gros artichauts ou 4 petits
200 g de blancs de poireaux
80 g de côtes de céleri
150 g de carottes
150 g de courgettes
150 g de fenouil
200 g d'oignons
150 g de petits champignons
   de Paris
2 jaunes d'œufs
30 g de crème fraîche
3 cl d'huile d'olive

Pour la polenta de maïs

1/2 litre de lait de céréales
   ou de lait de vache
125 g de semoule de maïs
10 g de miso d'orge
80 g de parmesan râpé
Sel, poivre du moulin

Pour la sauce veloutée

20 g de beurre
20 g de farine
10 g de miso d'orge
2 gousses d'ail écrasées
1 bouquet garni
2 feuilles de sauge
1 pincée de graines de coriandre
2 clous de girofle
Sel

Éplucher, trier et laver tous les légumes.

Tourner* les artichauts et retirer le foin. S'ils sont gros, les détailler en petits quartiers ; s'ils sont petits, les couper en deux ou en quatre.

Couper les poireaux en tronçons de 2 cm de longueur. Couper les côtes de céleri en deux dans le sens de la longueur puis couper des tronçons de 2 cm.

Couper en quatre dans le sens de la longueur les carottes et les courgettes puis faire des tronçons de 2 cm. Garder 3 cm de hauteur dans la découpe du fenouil, puis détailler des quartiers de 1 cm d'épaisseur.

Détailler en petite mirepoix* les oignons, laisser les champignons entiers s'ils sont petits, sinon les couper en deux.

Préparer la sauce veloutée : diluer le miso dans 50 cl d'eau bouillante. Faire un roux* blanc avec le beurre et la farine, verser le bouillon de miso et amener à ébullition en mélangeant avec un fouet puis ajouter le bouquet garni, l'ail, les clous de girofle, la sauge, la coriandre et du sel. Cuire 15 minutes à petit feu.

Dans une poêle à fond épais verser un peu d'huile d'olive et faire rissoler rapidement les légumes les uns après les autres en ajoutant à chaque fois un peu d'huile. Débarrasser les légumes dans une cocotte au fur et à mesure, en les égouttant avec une écumoire.

Ajouter le velouté passé au chinois, cuire à petit feu 15 minutes en remuant de temps en temps puis mélanger la crème fraîche avec les jaunes d'œufs et les incorporer dans la préparation, rectifier l'assaisonnement en sel et réserver au bain-marie.

Préparer la polenta : dans une casserole verser le lait de céréales, amener à ébullition puis, avec un fouet, incorporer la semoule de maïs en pluie et le miso, remuer jusqu'à la reprise de l'ébullition, baisser le feu et cuire 5 minutes à petit feu.

Juste avant de servir, incorporer le parmesan râpé et rectifier l'assaisonnement en sel. Donner un tour de moulin à poivre dans chaque assiette et déposer 2 à 3 cuillerées à soupe de polenta.

ARTICHAUT FARCI *au* TOFU

Dans cette recette, qui est très facile à réaliser, le tofu, protéine végétale
par excellence, s'associe parfaitement à la finesse de la chair d'artichaut.

PRÉPARATION

20 minutes

CUISSON

30 à 35 minutes

Pour 4 personnes

MARCHÉ

4 gros artichauts
1 citron
50 g d'oignons
50 g de poivrons rouges
50 g de courgettes
50 g de tomates mondées
150 g de tofu frais (au rayon frais)
50 g de farine
1 œuf

1 cuil. à soupe de graines de sésame
1/2 cuil. à café de curry
1 pincée d'herbes de Provence
1/2 bouquet de basilic haché
2 cuil. à soupe de ciboulette finement
    émincée
20 g de miso d'orge
4 cuil. à soupe d'huile d'olive
Lait de soja
Chapelure
Sel fin

Tourner* les artichauts, retirer le foin et les frotter de jus de citron pour éviter qu'ils noircissent. Détailler en brunoise* tous les légumes.

Chauffer une poêle avec 2 cuillerées à soupe d'huile d'olive et y faire rissoler les légumes 2 à 3 minutes sur feu vif.

Dans la cuve d'un mixeur, verser le tofu coupé en morceaux, la farine, l'œuf, du sel, les herbes de Provence, les graines de sésame et le curry. Mixer afin d'obtenir une farce très lisse. Si la consistance est trop épaisse, détendre en ajoutant quelques cuillerées à soupe de lait de soja.

Retirer la farce du mixeur et la mettre dans un saladier et y mélanger, à l'aide d'une spatule, la brunoise de légumes, le basilic et la ciboulette.

Disposer les fonds d'artichaut dans un petit plat à gratin préalablement huilé avec 2 cuillerées à soupe d'huile d'olive.

Garnir une poche à douille avec la farce et farcir généreusement les cavités des artichauts, saupoudrer de chapelure et cuire au four préchauffé à 170 °C (th. 5-6) pendant 10 minutes.

Retirer du four, ajouter dans le plat le miso dilué dans 20 cl d'eau et enfourner à nouveau 20 à 25 minutes.

Servir aussitôt, accompagné de légumes vapeur ou rissolés ou d'une salade composée.

TOURTE *aux* ARTICHAUTS

Du latin torta *(gâteau rond), la tourte est une tarte salée recouverte d'une fine pâte avant cuisson.*

PRÉPARATION
40 minutes

CUISSON
40 à 45 minutes

Pour 4 personnes

MARCHÉ

Pour la pâte brisée
250 g de farine
125 g de beurre
1 œuf
5 g de sel

Pour la garniture
250 g de poireaux (blanc et vert)
200 g de courgettes
4 gros artichauts
2 œufs
1 cuil. à soupe de basilic haché
1 cuil. à soupe de persil haché
1 pincée d'herbes de Provence
5 cl d'huile d'olive
Graines de courge
Sel fin, Hot Pepper

Préparer la pâte brisée : sabler la farine, le beurre et le sel dans un saladier puis incorporer l'œuf en pétrissant la pâte.

Abaisser* la pâte à l'aide d'un rouleau à pâtisserie et foncer* un moule à tarte en laissant déborder la pâte de 2 cm environ. Réserver le restant de pâte dans du film alimentaire.

Tailler en paysanne* les poireaux et les courgettes.

Tourner* les artichauts, retirer le foin, les couper en deux et les émincer finement.

Dans une cocotte chauffer l'huile d'olive, ajouter les poireaux et les herbes de Provence, faire rissoler 3 minutes puis ajouter les courgettes et les artichauts. Baisser le feu et étuver pendant 5 minutes en couvrant le tout d'un rond de papier sulfurisé.

Retirer du feu, mélanger et incorporer le basilic, le persil, du sel, le Hot Pepper ainsi que les œufs battus en omelette. Rectifier l'assaisonnement en sel.

Garnir de cet appareil le moule à tarte. Avec le reste de pâte, abaisser un cercle légèrement plus grand que la circonférence du moule. Le poser sur la farce, souder et chiqueter* les bords.

Badigeonner d'eau toute la surface de la tourte et parsemer le tout des graines de courge. Cuire 35 à 40 minutes dans un four préchauffé à 180 °C (th. 6).

FRICOT *d'*HERBES *et d'*ARTICHAUTS, PETIT ÉPEAUTRE *à la* SARRIETTE

Voici une préparation très provençale, accompagnée d'une céréale
plus ancienne que le blé et cultivée depuis des siècles dans la région de Sisteron.

PRÉPARATION
20 minutes

CUISSON
45 minutes

Pour 4 personnes

MARCHÉ
4 petits artichauts
100 g d'oignons
100 g de poireaux (vert et blanc)
100 g de courgettes
80 g de fenouil
50 g de céleri-branche
1 paquet de verts de blette blanchis
2 gousses d'ail finement hachées
2 cuil. à soupe d'olives de Nice
1 pincée d'herbes de Provence
1/2 cuil. à café de sauge hachée
1/2 cuil. à café de sarriette hachée

20 g de miso d'orge
3 cuil. à soupe d'huile d'olive
Sel

Pour le petit épeautre

200 g de petit épeautre
100 g d'oignons finement ciselés
1 cuil. à café de sarriette hachée
20 g de miso d'orge
2 cuil. à soupe d'huile d'olive
Sel

Tailler en paysanne* l'oignon, le poireau, le céleri, le fenouil et la courgette.

Concasser* les verts de blette.

Tourner* les artichauts en gardant 3 cm de hauteur de feuille.

Dans une cocotte, chauffer l'huile d'olive et y ajouter tous les légumes émincés en paysanne.
Faire rissoler vivement 5 minutes sans coloration puis ajouter l'ail, les herbes aromatiques,
les herbes de Provence et les olives.

Bien mélanger et ajouter les blettes, les artichauts, du sel et un demi-verre d'eau
dans lequel on a dilué le miso. Amener à ébullition, couvrir d'un rond de papier sulfurisé,
mettre un couvercle et cuire 25 minutes à petit feu.

Préparer le petit épeautre : mesurer le volume du petit épeautre. Dans une cocotte à fond
très épais chauffer l'huile d'olive et faire rissoler les oignons ciselés sans coloration environ
4 minutes, ajouter à sec le petit épeautre, bien mélanger afin de nacrer* la céréale, ajouter
la sarriette et le miso puis verser deux fois le volume de la céréale d'eau bouillante.

Saler, amener à ébullition, bien mélanger pour diluer le miso puis couvrir d'un rond de papier
sulfurisé et d'un couvercle. Cuire 45 minutes à petit feu.

Brocoli

Créé par la culture, le brocoli appartient à la famille du chou.
À l'exception du chou marin, il n'existe plus aucune espèce à l'état sauvage.
Dans le chou brocoli, on consomme les tiges fleuries, développées à l'aisselle des feuilles
avant leur épanouissement ; on l'appelle aussi le chou asperge.
La fleur de ce chou est généralement très petite. Dans certaines variétés,
elle est même à peine plus grosse qu'une noisette. Aussi consomme-t-on ce chou
en totalité : feuilles et fleurs.

BROCOLIS *al dente*, SAUCE *aux* HERBES

Dans cette recette, le brocoli porte bien son nom de chou asperge.
La cuisson va faire toute la différence.
La sauce aux herbes pourra vous servir pour assaisonner des salades ou des crudités.

PRÉPARATION

20 minutes

CUISSON

10 minutes

Pour 4 personnes

MARCHÉ

800 g de brocolis (de préférence bien verts)
1 cuil. à soupe de persil haché
1 cuil. à soupe de cerfeuil haché
1 cuil. à soupe de ciboulette émincée
1 cuil. à soupe de basilic haché
2 cuil. à soupe de cébette émincée

1 pincée d'herbes de Provence
1 pincée de coriandre en poudre
5 cl de vinaigre balsamique
5 cl d'huile d'olive
1/2 cuil. à café de tamari
1/2 cuil. à café de sel, Hot Pepper

Faire réduire de moitié le vinaigre balsamique sur feu moyen.

Dans un petit saladier mettre le sel, le Hot Pepper, les herbes de Provence et la coriandre, puis verser le vinaigre réduit, tiède. Ajouter l'huile d'olive, le tamari et toutes les herbes, bien mélanger.

Détailler le brocoli en départageant les tiges sans abîmer les bouquets. Éplucher si nécessaire les tiges. Les laver.

Dans une grande marmite d'eau bouillante salée plonger les brocolis (à découvert) et cuire 10 minutes maximum.

Les égoutter, napper de sauce aux herbes et servir aussitôt.

Les brocolis peuvent aussi se cuire à la vapeur. Une fois filmée, la sauce aux herbes se conserve quelques jours au réfrigérateur.

PENNE *aux* LÉGUMES, SAUCE BROCOLI

On peut remplacer les penne par des pâtes papillons ou des macaroni.
Facile d'exécution, c'est une recette diététique.

VEGAN

PRÉPARATION
20 minutes
CUISSON
15 minutes
Pour 4 personnes

MARCHÉ
400 g de penne
80 g de céleri-branche
100 g de courgette
100 g de fenouil
200 g de tomates
200 g de brocolis (seulement les tiges)
100 g de haricots verts triés
80 g de petits pois écossés
1 cuil. à soupe de gros sel

Pour la sauce brocoli
300 g de brocolis
  (seulement les bouquets)
Le jus de 1/2 citron
10 cl d'huile d'olive
1/2 cuil. à café de tamari
Sel, Hot Pepper

Émincer en paysanne* la courgette, le céleri, le fenouil et les tiges de brocoli. Tronçonner les haricots verts. Monder* les tomates, les couper en deux façon Équateur (latéralement), les épépiner, détailler chaque moitié en deux et les émincer.

Verser 3 litres d'eau dans une grande marmite, ajouter le gros sel, porter à ébullition puis plonger les penne. Au bout de 8 minutes de cuisson, ajouter les légumes sauf la tomate.

Dès que les penne sont cuites (vérifier de temps en temps au toucher), les égoutter soigneusement avec tous les légumes. Attention : il ne doit plus rester d'eau de cuisson.

Les verser dans une grande casserole ou une cocotte, y mélanger la tomate.

Pendant la cuisson des pâtes, préparer la sauce brocoli pour éviter que la couleur verte ne s'oxyde et devienne jaune. Cuire dans de l'eau bouillante salée les bouquets de brocoli 7 minutes, les retirer avec une écumoire et les mettre dans un grand verre doseur. Conserver l'eau de cuisson.

Ajouter dans les brocolis le tamari, le jus de citron et le Hot Pepper. Mixer en incorporant l'huile d'olive et 10 à 20 cl d'eau de cuisson des brocolis, selon la consistance qui doit être crémeuse. Rectifier l'assaisonnement en sel.

Répartir les penne aux légumes dans les assiettes et napper partiellement de sauce brocoli : le mélange des couleurs stimule l'appétit.

FRITOT *de* BROCOLI, SAUCE RÉMOULADE

Le fritot est un aliment que l'on passe dans la pâte à frire. À la différence du beignet, celui-ci est précuit. On peut ajouter dans la pâte à frire, avant cuisson, quelques graines d'oléagineux. La friture est à réaliser au dernier moment.

PRÉPARATION
20 minutes

CUISSON
10 minutes

Pour 4 personnes

MARCHÉ
600 g de brocolis
250 g de farine
2 jaunes d'œufs
2 blancs d'œufs
2 cuil. à soupe d'huile d'olive
20 cl d'eau chaude
Sel, gros sel
Huile de friture

Pour la mayonnaise
1 jaune d'œuf
1 cuil. à soupe rase de moutarde
1 pincée de sel, Hot Pepper

1 cuil. à soupe de vinaigre de vin rouge
10 cl d'huile d'olive
10 cl d'huile de tournesol

Pour la sauce rémoulade
2 cornichons
1 cuil. à soupe de câpres
1 cuil. à soupe de ciboulette ciselée
1 cuil. à soupe de persil
  et de cerfeuil hachés
1/2 cuil. à café d'estragon haché

Éplucher les brocolis si nécessaire. Détailler les bouquets et les tiges en morceaux de 2 cm d'épaisseur environ.

Dans une marmite, chauffer 2 litres d'eau avec 1 cuillerée à soupe de gros sel. Dès que l'eau bout, cuire les brocolis 5 minutes, puis les plonger dans une eau glacée. Égoutter et réserver sur du papier absorbant (on peut cuire les brocolis à la vapeur : ils doivent rester bien verts et *al dente*). Si les bouquets sont trop gros, les couper en deux dans le sens de la hauteur.

Préparer la pâte à frire : dans un saladier verser la farine en fontaine, ajouter au milieu les jaunes d'œufs (réserver les blancs), du sel, l'huile d'olive, commencer à mélanger avec une spatule tout en versant l'eau chaude. Bien mélanger pour éviter les grumeaux. Si la pâte est trop épaisse, détendre avec un peu d'eau mais elle doit être plus épaisse qu'une pâte à crêpe. Réserver après avoir versé quelques gouttes d'eau sur le dessus ou filmer le saladier afin qu'aucune croûte ne se forme à la surface.

Préparer la mayonnaise : mélanger au fouet le jaune d'œuf, la moutarde, le sel, le vinaigre et le Hot Pepper dans un saladier. Verser petit à petit, tout en remuant, l'huile d'olive et l'huile de tournesol puis préparer la sauce rémoulade : avec une spatule incorporer les cornichons et les câpres hachés finement, la ciboulette, le persil, le cerfeuil et l'estragon.

Au moment d'utiliser la pâte à frire, monter* en neige très ferme les blancs d'œufs et les incorporer délicatement à la pâte.

Passer quatre ou cinq morceaux de brocolis dans la pâte à frire, plonger dans un bain d'huile à friture à 200 °C, bien dorer chaque face (renouveler l'opération plusieurs fois) et égoutter sur du papier absorbant.

Servir aussitôt, accompagné de la sauce rémoulade.

GRATIN *de* BROCOLI, SAUCE SOUBISE

Ce gratin est une excellente alternative aux endives au jambon.
Ce plat familial se suffit à lui-même mais il peut également accompagner
des légumes, des céréales ou des légumineuses.

PRÉPARATION

20 minutes

CUISSON

30 à 35 minutes

Pour 4 personnes

MARCHÉ

600 g de brocolis
4 œufs
4 biscottes
50 g de parmesan râpé

Pour la sauce Soubise

80 g d'oignons
40 g de beurre
40 g de farine
1/2 litre de lait
1 pincée de macis en poudre
  ou de muscade
1 cuil. à soupe de tamari
Sel, Hot Pepper

Cuire les œufs dans une casserole d'eau bouillante pendant 9 minutes.

Éplucher les brocolis si nécessaire, tailler des tranches (tiges et fleurs) de 1 cm d'épaisseur dans la longueur. Éplucher et émincer les oignons.

Dans une casserole à fond épais, chauffer le beurre. Dès qu'il est fondu, verser la farine et cuire le roux* quelques minutes sans coloration, à feu doux. Mélanger de temps en temps avec un fouet, verser le lait et remuer constamment jusqu'à ébullition.

Ajouter les oignons émincés, du sel, le tamari, le Hot Pepper et le macis. Cuire 15 minutes à petit feu. Passer la sauce au moulin à légumes, grille très fine.

Chauffer une marmite remplie d'eau à moitié avec 1 cuillerée à soupe de sel, amener à ébullition. Plonger les brocolis et cuire 6 minutes à vive ébullition. Égoutter dans une passoire.

Dans un plat à gratin, disposer les biscottes, poser sur chacune un œuf dur écalé et détaillé en tranches de 2 à 3 mm. Poser sur les œufs les tranches de brocoli en les faisant se chevaucher.

Napper de sauce Soubise, saupoudrer de parmesan et cuire au four préchauffé à 200 °C (th. 6-7) pendant 15 à 20 minutes.

GÂTEAU *de* BROCOLI, SAUCE TOMATE

Gustativement, la sauce tomate à la crème s'accorde parfaitement avec le moelleux du brocoli. Faire gratiner avec le parmesan accentue encore les saveurs.

PRÉPARATION
30 minutes

CUISSON
20 minutes

Pour 4 personnes

MARCHÉ
600 g de brocolis
100 g de poireau (vert et blanc)
4 œufs
1 pincée de macis en poudre
30 g de parmesan râpé
2 cl d'huile d'olive
Sel

Pour la sauce tomate
50 g d'oignons
50 g de carotte
2 gousses d'ail
1 bouquet garni
100 g de concentré de tomate
150 g de crème fraîche ou de crème de soja
25 g de beurre (ou d'huile d'olive)
  + un peu pour les ramequins
25 g de farine
40 cl d'eau
1 cuil. à café de sucre
Sel, poivre du moulin

Dans une cocotte en fonte émaillée chauffer l'huile d'olive et faire suer* le poireau émincé sans coloration pendant environ 5 minutes.

Émincer finement les brocolis et les répartir sur le poireau, bien mélanger et verser 10 cl d'eau, couvrir d'un rond de papier sulfurisé et cuire 15 minutes à petit feu.

Retirer le rond de papier, mixer très finement la préparation en y ajoutant du sel et le macis puis casser les œufs dessus et mixer à nouveau. Rectifier l'assaisonnement.

Graisser et fariner quatre ramequins, les garnir à hauteur de la préparation et cuire au four préchauffé à 120 °C (th. 4) pendant 15 à 20 minutes.

Préparer la sauce tomate : peler, laver et émincer les oignons et les carottes. Dans une cocotte, faire suer* 5 minutes les légumes et l'ail dans les 25 g de beurre, ajouter la farine et cuire à petit feu 5 minutes en remuant de temps en temps ou passer au four à 180 °C (th. 6) pendant 5 minutes.

Ajouter le concentré de tomate, bien mélanger avec une spatule puis verser 40 cl d'eau, mélanger avec un fouet et amener à ébullition.

Ajouter le bouquet garni, le sucre, du sel et du poivre. Cuire 15 minutes à petit feu, passer la sauce au chinois, incorporer la crème fraîche ou la crème de soja et rectifier l'assaisonnement.

Démouler les gâteaux de brocoli dans un plat à gratin, napper généreusement de sauce tomate, saupoudrer de parmesan et faire gratiner au four préchauffé à 200 °C (th. 6-7) pendant quelques minutes. Servir aussitôt.

SOBA *et* CHOP SUEY *de* BROCOLI

Les soba sont des spaghettis à la farine de sarrasin.
Cette recette d'inspiration asiatique se prépare très rapidement.

PRÉPARATION
20 minutes
CUISSON
17 minutes
Pour 4 personnes

MARCHÉ
200 g de soba
400 g de brocolis
1 cuil. à soupe de graines de sésame
1 cuil. à soupe de graines de tournesol
2 cuil. à soupe de tamari
5 cl d'huile d'olive
1 cuil. à soupe de gros sel

Sans gluten
—
VEGAN

Éplucher si nécessaire les brocolis, émincer assez finement les bouquets et les tiges.

Faire chauffer de l'eau dans une marmite avec le gros sel. Dès que l'eau bout, y plonger les soba en remuant l'eau avec une fourchette à rôtir. Dès que l'ébullition reprend, baisser le feu et cuire les pâtes 10 minutes environ.

Pendant ce temps, chauffer l'huile d'olive dans une poêle à fond épais, ajouter les brocolis en remuant fréquemment avec une spatule : attention, il ne doit pas y avoir de coloration.

Au bout de 5 minutes, saupoudrer le tout des graines de sésame et de tournesol, bien mélanger, cuire 2 à 3 minutes, puis déglacer* avec le tamari et 10 cl d'eau et mélanger énergiquement : la puissante vapeur doit finir de cuire les brocolis, qui doivent rester *al dente*.

Égoutter les soba, les verser sur les brocolis, faire sauter et mélanger le tout, rectifier l'assaisonnement.

TRANCHE *de* BROCOLI
à la GRENOBLOISE

L'appellation « à la grenobloise » se rapporte au poisson meunière avec croûtons, dés de citron et câpres, qui est un classique de la cuisine française.

PRÉPARATION	MARCHÉ	*Pour la grenobloise*
20 minutes	600 g de brocolis	1 citron
CUISSON	100 g de farine	50 g de câpres
	1 œuf	100 g de beurre
15 minutes	150 g de chapelure	2 tranches de pain de mie
Pour 4 personnes	5 cl d'huile d'olive	80 g de noisettes torréfiées concassées
	Gros sel	

Éplucher si nécessaire les brocolis, tailler les bouquets avec la tige dans le sens de la hauteur pour faire des tranches de 5 mm d'épaisseur.

Plonger les tranches de brocolis dans de l'eau bouillante salée pendant 4 minutes, les égoutter et les plonger dans une eau glacée pour stopper la cuisson. Égoutter délicatement et sécher sur du papier absorbant.

Passer les tranches de brocolis dans la farine, puis dans l'œuf battu en omelette avec 4 cuillerées à soupe d'eau et enfin dans la chapelure. Réserver au frais.

Détailler les tranches de pain de mie en petits cubes de 5 mm de côté. Les passer au four pour les dorer ou les frire dans une poêle avec 2 cuillerées à soupe d'huile et 20 g de beurre, puis les égoutter sur du papier absorbant.

Peler* le citron à vif, c'est-à-dire en enlevant toute la peau, sans laisser de parties blanches. Couper la chair en dés et la mélanger avec les câpres.

Dorer des deux côtés les tranches de brocolis à la poêle dans l'huile très chaude et les disposer côte à côte dans un plat de service. Parsemer la surface avec les croûtons.

Chauffer le beurre jusqu'à ce qu'il prenne une teinte noisette, ajouter les câpres et le citron, cuire 1 minute puis retirer du feu, ajouter les noisettes concassées et verser sur les tranches de brocoli. Servir aussitôt.

PARFAIT *de* BROCOLI
et VINAIGRE BALSAMIQUE

L'agar-agar est un puissant gélifiant d'origine végétale (association de différentes algues).
Dans cette préparation, l'attrait des couleurs le dispute à la richesse des saveurs.

PRÉPARATION
20 minutes

CUISSON
30 minutes

Pour 4 personnes

MARCHÉ
400 g de bouquets de brocoli
1/4 de litre de lait végétal
3 jaunes d'œufs
8 g d'agar-agar
1 cuil. à café de tamari
1 cuil. à soupe de jus de citron
10 cl de vinaigre balsamique
4 petits bouquets de basilic
Sel, Hot Pepper

Pour les tomates concassées
50 g d'oignons finement ciselés
1 gousse d'ail hachée finement
300 g de tomates mondées, épépinées
   et concassées
1 cuil. à soupe de concentré de tomate
1 cuil. à café de sucre
1 pincée d'herbes de Provence
1 cuil. à café d'arrow-root dilué
   dans 5 cl d'eau
2 cuil. à soupe d'huile d'olive
Sel, Hot Pepper

Cuire les bouquets de brocoli à la vapeur ou à l'eau pendant 8 minutes, égoutter,
ne pas rafraîchir et débarrasser dans un récipient peu évasé.

Préparer la crème anglaise : dans une casserole sur feu moyen chauffer le lait végétal avec l'agar-agar
en mélangeant fréquemment (l'agar-agar a tendance à attacher rapidement au fond de la casserole).

Verser petit à petit le lait végétal bouillant sur les jaunes d'œufs dans un saladier, mélanger.

Remettre le tout dans la casserole, faire chauffer, toujours sur feu moyen, en formant
constamment des mouvements de va-et-vient à l'aide d'une spatule (la température ne doit pas
dépasser 80 °C). Quand la crème nappe bien la spatule, retirer très vite du feu (il ne doit pas
y avoir d'ébullition) et passer au chinois-étamine au-dessus des brocolis.

Mixer ce mélange très finement en ajoutant le jus de citron, du sel, le Hot Pepper et le tamari.
Répartir cette préparation dans quatre ramequins et réserver au réfrigérateur.

Sur feu moyen faire réduire le vinaigre balsamique de moitié et plus si nécessaire
jusqu'à ce qu'il atteigne une consistance sirupeuse.

Préparer les tomates concassées* : dans une casserole à fond très épais chauffer l'huile d'olive,
y faire blondir les oignons, ajouter l'ail et les herbes de Provence puis verser les tomates
concassées, mélanger avec le concentré de tomate, du sel, le sucre et le Hot Pepper.
Couvrir d'un rond de papier sulfurisé et cuire 15 minutes à petit feu.

Diluer l'arrow-root avec l'eau et verser en fin de cuisson sur la tomate en mélangeant
constamment, cuire 3 minutes, rectifier l'assaisonnement et retirer du feu. Débarrasser
pour refroidir.

Démouler les parfaits, décorer de 1 cuillerée à soupe de tomate concassée et d'un bouquet
de basilic. Quadriller chaque parfait de réduction de vinaigre balsamique à l'aide d'une cuillère à café.

COURGETTES FARCIES *au* BROCOLI

La courgette ronde est une variété que l'on ne trouve pas partout.
Si vous prenez des courgettes longues, coupez des tronçons de 3 cm dans la hauteur.

PRÉPARATION
30 minutes

CUISSON
55 minutes

Pour 4 personnes

MARCHÉ
12 courgettes rondes
300 g de brocolis
100 g de haricots verts
100 g de blancs de poireaux
1 gousse d'ail
80 g de riz
1 cuil. à soupe de persil
  et de cerfeuil hachés

2 cuil. à soupe de basilic haché
1 cuil. à café de miso d'orge
50 cl d'eau
3 cuil. à soupe de levure alimentaire maltée
1 pincée d'herbes de Provence
1 pincée de sarriette en poudre
1 pincée de coriandre en poudre
5 cl d'huile d'olive + un peu pour le plat
Sel, Hot Pepper
Mie de pain (si nécessaire)

Avec un petit couteau, retirer les chapeaux des courgettes, puis les évider à l'aide d'une cuillère à légumes ou d'une cuillère à café. Réserver la chair des courgettes.

Dans une marmite d'eau bouillante salée, plonger les chapeaux et les courgettes évidées, donner 5 minutes d'ébullition, égoutter et plonger le tout dans une eau glacée.

Cuire le riz à l'eau.

Émincer le blanc de poireau, le brocoli (tiges et bouquets), les haricots verts et écraser l'ail.

Dans une petite cocotte chauffer l'huile d'olive et ajouter le poireau et l'ail, faire suer* quelques minutes puis ajouter le brocoli, les haricots verts, la chair des courgettes, du sel, les herbes de Provence et la coriandre, bien mélanger. Couvrir d'un rond de papier sulfurisé et cuire à petit feu 10 minutes.

Ajouter le miso dilué dans 50 cl d'eau. Continuer la cuisson avec le rond de papier 15 minutes.

Dans un plat à gratin légèrement huilé, disposer les courgettes bien égouttées.

Dans un mixeur, verser le contenu de la cocotte, mixer par à-coups car la texture ne doit pas avoir la consistance d'une purée. Débarrasser dans un saladier, ajouter le riz cuit égoutté, la levure, le persil, le cerfeuil et le basilic. Bien mélanger, rectifier l'assaisonnement et ajouter le Hot Pepper. Si la consistance n'est pas assez compacte, ajouter une à deux poignées de mie de pain.

Garnir une poche à douille et farcir généreusement chaque courgette en faisant bomber la farce. Remettre les chapeaux. Cuire au four préchauffé à 180 °C (th. 6) pendant 30 minutes.

PUDDING SOUFFLÉ *de* BROCOLI, SAUCE *au* CURCUMA

La sauce exotique au curcuma apporte à cette préparation légère et aérienne une couleur et une saveur tout en harmonie.

PRÉPARATION
20 minutes

CUISSON
25 minutes

Pour 4 personnes

MARCHÉ

600 g de brocolis
1/4 de litre de lait
50 g de beurre + un peu pour
  le moule
30 g de farine
2 œufs
1 pincée de macis en poudre
3 à 4 tours de moulin à poivre
Sel

Pour la sauce au curcuma

60 g d'oignons
60 g de blancs de poireaux
1 gousse d'ail écrasée
25 g de céleri-branche
80 g de mangue + 80 g pour
  la décoration
1 cuil. à café de curcuma frais râpé
  ou de curcuma en poudre
20 cl de crème de soja
3 cuil. à soupe d'huile d'olive

Nettoyer les brocolis, réserver quelques bouquets pour la décoration, râper le reste (comme pour des carottes).

Dans une sauteuse faire suer* les brocolis râpés dans 20 g de beurre pendant 3 à 4 minutes en remuant fréquemment.

Réaliser une béchamel : dans une casserole à fond épais faire fondre 20 g de beurre, ajouter la farine. Bien mélanger puis verser le lait, amener à ébullition en mélangeant avec un fouet. Ajouter le macis, du sel et le poivre. Laisser cuire 10 minutes et incorporer les brocolis qui ont la consistance d'une purée.

Hors du feu, ajouter les deux jaunes d'œufs puis incorporer délicatement les deux blancs d'œufs battus en neige ferme. Rectifier l'assaisonnement.

Beurrer et fariner quatre moules. Les garnir de la préparation. Faire cuire au four préchauffé à 170 °C (th. 5-6) pendant 20 minutes environ.

Dans une eau bouillante salée cuire à l'eau jusqu'à ce qu'ils soient *al dente* les bouquets de brocoli reservés.

Préparer la sauce au curcuma : émincer les légumes. Dans une petite casserole chauffer l'huile d'olive et y faire suer tous les légumes avec la gousse d'ail pendant 10 minutes sans coloration en couvrant avec un rond de papier sulfurisé. Verser 2 à 3 cuillerées à soupe d'eau en cours de cuisson, ajouter le curcuma, cuire à très petit feu 5 minutes puis incorporer la crème de soja.

Dans un mixeur, verser la préparation avec la mangue. Mixer afin d'obtenir une purée très onctueuse (si le mélange est trop épais, ajouter, toujours en mixant, un peu d'eau bouillante).

Démouler les puddings sur les assiettes de service. Napper de sauce au curcuma et décorer avec les bouquets de brocoli bien égouttés et une brunoise* de mangue fraîche.

Aubergine

*Fruit d'une plante originaire d'Inde, cultivée en France depuis la fin du XVIIe siècle,
l'aubergine est très présente autour du Bassin méditerranéen.
Il existe de nombreuses variétés, longues ou rondes : la plus répandue est la violette
longue, mais depuis quelque temps apparaît sur les marchés la ronde blanche,
dite variété « américaine », plus douce que ses cousines.
Les recettes s'appliquent à n'importe quelle variété d'aubergine.
Il est important de la consommer bien mûre, plutôt jeune (les pépins sont moins gros)
et bien ferme, avec un pédoncule et le calice très piquants (attention aux piqûres
d'aubergine, assez douloureuses).*

BOHÉMIENNE *et* PANISSES

*En Provence, on cuisine une « ratatouille » qui ne contient pas de tomate
et qui se nomme « bohémienne ». Cette compotée très savoureuse s'allie parfaitement
avec les pois chiches. C'est avec la farine de ces derniers que l'on réalise les panisses
du côté de Marseille et la socca du côté de Nice.*

PRÉPARATION
20 minutes

CUISSON
30 minutes

Pour 4 personnes

MARCHÉ
Pour les panisses
100 g de farine de pois chiches
4 cuil. à soupe d'huile d'olive
30 cl d'eau
6 g de sel
5 cl d'huile d'olive (pour la cuisson finale)
Poivre du moulin

Pour la bohémienne
250 g d'oignons
200 g de poivrons rouges
250 g de courgettes
250 g d'aubergines
2 gousses d'ail hachées
1/2 cuil. à café d'herbes de Provence
1/2 cuil. à café de sucre
3 cl d'huile d'olive
Sel, Hot Pepper

Préparer les panisses : chauffer 15 cl d'eau dans une casserole avec le sel et les 4 cuillerées à soupe d'huile d'olive. Verser le restant d'eau dans un saladier et y diluer la farine de pois chiches.

Dès qu'une ébullition se forme dans la casserole, verser la farine diluée en remuant avec un fouet. Mélanger énergiquement, amener à ébullition et verser cette préparation dans un plat chemisé de papier sulfurisé sur 5 mm d'épaisseur, bien lisser la surface et laisser refroidir.

Préparer la bohémienne : à l'aide d'un économe, éplucher les aubergines et les courgettes en ôtant une lanière de peau sur deux et couper les extrémités. Éliminer la queue et les graines des poivrons. Éplucher les oignons. Tailler tous les légumes en cubes de 2 cm de côté.

Chauffer l'huile d'olive dans une cocotte et y faire rissoler les oignons et les poivrons 5 minutes.

Ajouter les courgettes, l'ail et les aubergines, mélanger fréquemment et faire rissoler à nouveau 3 à 4 minutes.

Saler, ajouter le sucre, le Hot Pepper et les herbes de Provence. Baisser le feu, couvrir d'un rond de papier sulfurisé et laisser compoter à petit feu pendant 15 minutes.

Détailler les panisses en rectangles de 3 à 4 cm de longueur ou en cercles de 4 cm de diamètre et faire dorer les deux faces dans une poêle très chaude avec 5 cl d'huile d'olive. Égoutter sur du papier absorbant et poivrer.

Servir la ratatouille avec les panisses très chaudes.

MOUSSAKA *à la* CRÈME *d'*AIL

C'est à la Grèce que l'on doit cette spécialité généralement faite avec de l'agneau. Ici, l'orge remplace la viande. À la place des œufs, on peut utiliser 100 g de tofu mixé très finement.

PRÉPARATION
20 minutes

CUISSON
1 heure 15

Pour 4 personnes

MARCHÉ
3 grosses aubergines
  ou 4 plus petites
150 g de tomates mondées,
  épépinées et concassées
2 gousses d'ail finement hachées
150 g d'oignons
80 g de pain de mie complet
80 g d'orge mondé
1 cuil. à soupe de parmesan râpé
2 œufs
1 pincée d'herbes de Provence
2 cuil. à soupe de basilic haché
5 cl d'huile d'olive

1 cuil. à soupe de sucre
1 cuil. à soupe de tamari
Sel, Hot Pepper

Pour la crème d'ail

8 gousses d'ail
10 cl de crème de soja
1 cuil. à café de tamari
Sel, Hot Pepper

Pour la décoration

12 gousses d'ail

Couper les aubergines en deux dans le sens de la longeur, inciser la pulpe, les ranger sur une plaque à rôtir, arroser d'un filet d'huile d'olive et cuire au four préchauffé à 180 °C (th. 6) pendant 35 minutes.

Ciseler finement les oignons. Chauffer 3 cuillerées à soupe d'huile d'olive dans une petite cocotte et y faire rissoler l'oignon avec l'ail et les herbes de Provence.

Mettre le pain à tremper dans de l'eau tiède, l'égoutter et le presser fortement puis le hacher finement sur une planche.

Cuire l'orge dans de l'eau bouillante salée pendant 30 minutes puis l'égoutter.

Sortir les aubergines du four, retirer la pulpe avec une cuillère, la hacher au couteau et réserver.

Foncer quatre gros ramequins avec la peau noire des aubergines et la lisser contre les parois.

Dans un saladier mélanger la chair des aubergines, la tombée d'oignon, le pain haché, les tomates concassées, l'orge, le basilic, le parmesan et les œufs battus en omelette. Saler, ajouter le Hot Pepper, le tamari et le sucre. Garnir les moules préalablement chemisés* d'aubergine et cuire au four à 120 °C (th. 4) pendant 40 minutes.

Préparer la crème d'ail. Éplucher les gousses d'ail, les placer dans une petite casserole, recouvrir d'eau froide et amener à ébullition. Égoutter, remettre les gousses dans la casserole, verser la crème de soja et cuire à petit feu 8 minutes.

Mixer finement (si la consistance est trop épaisse, détendre avec 1 ou 2 cuillerées à soupe d'eau bouillante). Saler, ajouter le tamari et le Hot Pepper.

Au sortir du four, démouler la moussaka au milieu de l'assiette et verser un cordon de crème d'ail autour.

Placer douze gousses d'ail non épluchées dans un petit plat à gratin, arroser d'un filet d'huile d'olive et cuire 20 minutes au four à 180 °C.

Décorer la moussaka avec les gousses d'ail cuites en chemise.

TERRINE *d*'AUBERGINE *et* COMPOTE *de* TOMATES

La recette doit être confectionnée impérativement la veille afin de passer quelques heures au réfrigérateur. La compote de tomates rehausse avantageusement la saveur de la terrine d'aubergine.

PRÉPARATION

45 minutes

CUISSON

1 heure 30

Pour 4 personnes

MARCHÉ

1,5 kg d'aubergines
250 g d'oignons ciselés
4 gousses d'ail hachées
150 g de pain au levain
1 cuil. à soupe de persil haché
2 cuil. à soupe de levure
  alimentaire maltée
3 œufs
1 pincée d'herbes de Provence
1 pincée de sarriette et de thym
  séchés ou frais
2 cuil. à soupe d'huile d'olive + 1 filet
Sel, Hot Pepper

Pour la compote de tomates

1 kg de tomates bien mûres,
  épépinées et concassées
150 g d'oignons ciselés
2 gousses d'ail hachées
1 bouquet garni
2 cuil. à soupe d'huile d'olive
  + 1/2 verre
2 cuil. à soupe de Maïzena®
Le jus de 1/2 citron
2 cuil. à soupe de sucre
1 cuil. à soupe de tamari
Sel, Hot Pepper

Pour la décoration

Tomates cerise
Basilic

Couper les aubergines en deux dans le sens de la longueur et les inciser, les ranger sur une plaque à rôtir, les arroser d'un filet d'huile d'olive et les laisser cuire au four préchauffé à 160 °C (th. 5-6) pendant 45 minutes.

À l'aide d'une cuillère, retirer la pulpe des aubergines et tapisser l'intérieur d'un moule à cake avec leurs peaux noires. Hacher finement la pulpe au couteau.

Couper le pain en morceaux, les arroser d'eau tiède puis les presser et les mixer finement.

Dans une cocotte, chauffer l'huile d'olive, précipiter les oignons, l'ail, les herbes de Provence, le thym, la sarriette et laisser cuire à petit feu pendant 10 minutes.

Hors du feu, incorporer et mélanger la pulpe d'aubergine hachée, le pain mixé, les œufs, la levure, le persil, saler et ajouter le Hot Pepper. Garnir le moule à cake de la préparation et laisser cuire 45 minutes à 160 °C. Réserver au frais.

Préparer la compote de tomates. Faire chauffer dans une casserole 2 cuillerées à soupe d'huile d'olive, mettre à rissoler les oignons et l'ail. Avant coloration, ajouter les tomates, le bouquet garni, le sucre, le tamari, du sel et le Hot Pepper. Couvrir d'un rond de papier sulfurisé et cuire 10 minutes à petit feu.

Diluer la Maïzena® avec 4 cuillerées à soupe d'eau, verser sur la compote de tomates en remuant constamment et cuire 5 minutes. Retirer le bouquet garni, incorporer le demi-verre d'huile d'olive et le jus de citron en mixant. Rectifier l'assaisonnement.

Couper la terrine d'aubergine en tranches et la servir avec la compote de tomates. Décorer avec du basilic et des tomates cerise.

SOUFFLÉ *d*'AUBERGINE
et BOULGOUR *à la* TOMATE

Pour cette recette, il est important de choisir des aubergines de forme plutôt ronde et de même taille car ce sont les peaux qui serviront de moules à soufflé. L'harmonie de la tomate avec l'aubergine est toujours parfaite.

PRÉPARATION
20 minutes

CUISSON
50 minutes

Pour 4 personnes

MARCHÉ
2 aubergines
2 gousses d'ail finement hachées
2 gros œufs
60 g de gruyère râpé
30 g de beurre
30 g de farine
1/4 de litre de lait
1 cuil. à soupe de basilic haché
Huile d'olive
1 pincée de macis en poudre
Sel, Hot Pepper

Pour le boulgour
250 g de tomates mondées, épépinées
    et concassées
60 g d'oignon ciselé
100 g de boulgour
15 cl d'eau
1/2 cuil. à café de miso d'orge
1 pincée d'herbes de Provence
3 cuil. à soupe d'huile d'olive
Sel, Hot Pepper

Couper les aubergines en deux dans le sens de la longueur. Faire quelques incisions dans la chair avec la pointe d'un couteau. Les disposer dans un plat à gratin, arroser d'un filet d'huile d'olive et cuire au four préchauffé à 180 °C (th. 6) pendant 20 minutes.

Retirer la pulpe à l'aide d'une cuillère en évitant de déchirer la peau. Hacher la pulpe au couteau.

Réaliser une béchamel très épaisse : faire fondre le beurre, ajouter la farine et cuire 5 minutes à petit feu sans coloration en remuant constamment à l'aide d'une spatule. Prendre un fouet et verser le lait petit à petit sans cesser de remuer. Lorsque la texture est lisse et la consistance assez épaisse, retirer le fouet et mélanger avec la spatule. Amener à ébullition, cuire 2 à 3 minutes, baisser le feu et incorporer les deux jaunes d'œufs (réserver les blancs), la pulpe d'aubergine, l'ail et le basilic hachés. Saler, ajouter le macis et le Hot Pepper et amener à ébullition en mélangeant constamment puis retirer du feu.

Monter* les blancs en neige très fermes et les incorporer à la préparation ainsi que le gruyère râpé. À l'aide d'une poche à douille, garnir les peaux d'aubergine. Cuire aussitôt dans un four à 180 °C (th. 6) pendant 20 à 30 minutes.

Pendant ce temps, préparer le boulgour. Chauffer l'huile d'olive dans une casserole à fond très épais. Ajouter l'oignon, faire rissoler quelques minutes puis verser le boulgour, bien mélanger afin de le nacrer*. Saler, ajouter le Hot Pepper et les herbes de Provence puis incorporer les tomates et mouiller avec l'eau dans laquelle on aura dilué le miso. Couvrir d'un rond de papier sulfurisé, amener à ébullition et cuire 5 minutes à petit feu.

Servir les aubergines soufflées accompagnées du boulgour à la tomate.

VARIANTES *d'AUBERGINES*

Voici quatre préparations qui font la part belle à l'aubergine et une belle assiette.

Sans gluten

PRÉPARATION
45 minutes
CUISSON
40 minutes
Pour 4 personnes

MARCHÉ
Pour les aubergines farcies à la crème d'ail

200 g d'aubergines
  (4 tronçons de 50 g chacun)
50 g d'ail
10 cl de crème fraîche
3 gouttes de tamari
1 cuil. à café d'huile d'olive
Sel, Hot Pepper

Pour les aubergines farcies aux tomates

4 morceaux d'aubergine
  de 40 g chacun
2 petites tomates d'environ
  70 g pièce
1 cuil. à soupe d'huile d'olive
1 pincée de thym séché ou frais
Sel

Pour les aubergines en roulade de poivron

70 g d'aubergine (coupée
  en quatre dans la longueur)
1 poivron bien rouge
Huile de friture
Sel

Pour la sauce

150 g de tomates épépinées
  détaillées en petits cubes
150 g d'aubergines épluchées
1 cuil. à soupe de jus de citron
1 pincée d'herbes de Provence
1/2 cuil. à café de tamari
10 cl d'huile d'olive
Sel, Hot Pepper

Pour la décoration

8 feuilles de basilic

Préparer les aubergines farcies à la crème d'ail : éplucher l'ail, le faire blanchir, égoutter et laisser cuire dans une petite casserole avec la crème fraîche. Assaisonner avec du sel, du Hot Pepper et le tamari. Maintenir à très petite ébullition pendant environ 6 minutes.

Poser les tronçons d'aubergine dans un petit plat, les arroser d'huile d'olive et cuire au four préchauffé à 180 °C (th. 6) pendant 30 à 40 minutes. Retirer la pulpe des aubergines avec une cuillère, mixer avec la crème d'ail et farcir les aubergines de cette préparation.

Préparer les aubergines en roulade de poivron : plonger dans la friture à 180 °C les quatre morceaux d'aubergine pendant 3 à 4 minutes. Égoutter et saler.

Faire cuire le poivron rouge au four à 180 °C pendant 15 minutes. L'éplucher, détailler quatre lanières et entourer les morceaux d'aubergine frits avec chacune d'elles.

Préparer les aubergines farcies aux tomates : faire quatre incisions sur les aubergines et introduire dans chaque ouverture une demi-tranche fine de tomate.

Disposer sur un plat, arroser avec l'huile d'olive, saler et parsemer de thym. Cuire au four à 180 °C pendant 30 à 35 minutes.

Préparer la sauce : couper les d'aubergines en cubes et les plonger dans de l'eau bouillante environ 4 minutes puis égoutter.

Faire chauffer l'huile d'olive dans une petite poêle, ajouter la brunoise* d'aubergine et faire rissoler 2 minutes. Déglacer* avec le jus de citron, ajouter les herbes de Provence, le tamari, du sel et le Hot Pepper. Ajouter en dernier les cubes de tomate.

Disposer en cercle dans l'assiette l'aubergine farcie à la crème d'ail, l'aubergine farcie aux tomates et l'aubergine en roulade de poivron. Répartir la sauce au milieu. Décorer avec les feuilles de basilic.

GÂTEAU *d*'AUBERGINE *et* RAGOÛT *de* SEITAN *aux* TROIS BASILICS

Pour réaliser ces délicieux petits gâteaux, il vous faut des moules à tarte assez hauts ou des ramequins. Le seitan est réalisé avec le gluten de la farine ; tous les magasins bio le référencent.
Si vous n'avez qu'une variété de basilic, la recette sera tout aussi bonne.

PRÉPARATION
45 minutes

CUISSON
50 minutes
Pour 4 personnes

MARCHÉ
Pour la pâte brisée

200 g de farine
100 g de beurre
1 œuf
4 g de sel

Pour le gâteau d'aubergine

400 g d'aubergines
80 g d'oignons émincés
1/4 de litre de lait
30 g de beurre
30 g de farine
1 pincée de macis en poudre
1 pincée d'herbes de Provence
1 cuil. à café de miso d'orge
1 cuil. à soupe d'huile d'olive
 + 5 cl
1 jaune d'œuf (pour la dorure)
Sel

Pour le ragoût de seitan

100 g de champignons de Paris
8 tranches d'aubergine panées
 à l'anglaise
150 g de seitan
4 cuil. à soupe de crème fraîche
4 branches de basilic rouge
4 branches de basilic
 grandes feuilles
4 branches de basilic
 petites feuilles
5 cl d'huile d'olive
Sel, poivre du moulin

Préparer le gâteau d'aubergine : confectionner une pâte brisée. Sabler la farine, le beurre et le sel dans un saladier puis incorporer l'œuf en pétrissant la pâte. Former une boule et réserver au frais.

Réaliser une béchamel : dans une casserole à fond épais faire fondre le beurre, ajouter la farine, bien mélanger, cuire 3 à 4 minutes puis verser le lait, amener à ébullition en mélangeant avec un fouet. Émincer l'oignon et le faire rissoler à la poêle avec 1 cuillerée à soupe d'huile d'olive. Verser dans la béchamel, ajouter du sel, le macis, les herbes de Provence et le miso. Laisser cuire 20 minutes à petit feu. Mixer et réserver.

Détailler en brunoise* les aubergines et les faire rissoler à la poêle avec les 5 cl d'huile d'olive jusqu'à ce qu'elles soient cuites. Égoutter dans une passoire pour éliminer l'excès d'huile et mélanger avec les deux tiers de la sauce Soubise. Amener à ébullition, rectifier l'assaisonnement et mettre à refroidir.

Foncer* les moules avec la pâte brisée en laissant déborder la pâte de 2 cm. Répartir la farce froide et poser une abaisse de pâte brisée de la dimension des moules. Rabattre la pâte vers le centre et chiqueter*. Napper de dorure (un jaune d'œuf battu avec 1 cuillerée à soupe d'eau) et cuire au four préchauffé à 200 °C (th. 6-7) pendant 30 minutes.

Préparer le ragoût de seitan. Détailler en brunoise* le seitan et les champignons. Dans une poêle avec l'huile d'olive, faire rissoler le seitan avec une légère coloration puis très rapidement les champignons. Égoutter dans une passoire.

Dans une casserole réunir le seitan, les champignons, la crème et le tiers restant de sauce Soubise. Amener à ébullition et laisser mijoter 5 minutes. Rectifier l'assaisonnement.

Plonger les tranches d'aubergine dans la friture à 200 °C, les retirer dès qu'elles sont dorées, les égoutter sur du papier absorbant et les saler.

Pour dresser, poser le gâteau d'aubergine démoulé, les tranches d'aubergine panées frites et répartir le ragoût de seitan sur le côté. Décorer avec les trois variétés de basilic.

TOMATE FARCIE
au CAVIAR *d'*AUBERGINE

Le caviar d'aubergine est un grand classique de la cuisine russe, mais aussi de nombreux pays méditerranéens. Vous pouvez l'accommoder avec des concombres – le mariage est très heureux – ou toutes sortes de crudités. Cette préparation constitue un « dip » très apprécié en apéritif.

PRÉPARATION

20 minutes

CUISSON

30 à 40 minutes

Pour 4 personnes

MARCHÉ

800 g d'aubergines

4 grosses tomates ou 12 petites tomates
de même calibre

50 g d'oignons finement ciselés

3 cuil. à soupe de jus de citron

2 cuil. à soupe de tahin

1 cuil. à soupe de tamari

10 g de sucre

4 branches de basilic

1 cuil. à soupe de basilic haché

3 cuil. à soupe d'huile d'olive + 5 cl

Sel, Hot Pepper

Sans gluten
—
VEGAN

Couper les aubergines en deux dans le sens de la longueur, disposer dans un plat à gratin, les inciser et les arroser de 3 cuillerées à soupe d'huile d'olive. Cuire au four préchauffé à 180 °C (th. 6) pendant 30 à 40 minutes.

Retirer la pulpe des aubergines avec une cuillère et la hacher finement au couteau. La débarrasser dans un saladier et y ajouter les oignons, le tahin, le jus de citron, le basilic haché, le tamari, le sucre, du sel et le Hot Pepper. Bien mélanger avec un fouet en versant 5 cl d'huile d'olive. Si vous préférez avoir une texture plus fine et mieux émulsionnée, plonger 2 minutes avec un mixeur. Vérifier l'assaisonnement.

Retirer le chapeau des tomates, évider avec une cuillère le jus et les pépins et couper légèrement le fond pour une meilleure assise dans l'assiette.

Saler légèrement l'intérieur des tomates. À l'aide d'une poche à douille, les farcir généreusement et remettre les chapeaux. Décorer d'une branche de basilic posé sur chaque assiette.

LASAGNES *aux* AUBERGINES

Les lasagnes évoquent immanquablement l'Italie.
Pour celles et ceux qui n'auraient pas le temps de réaliser la pâte à nouilles,
on trouve des feuilles de lasagnes fraîches ou sèches dans le commerce. Si elles sont sèches,
il est indispensable de les précuire (suivre les indications portées sur l'emballage).

PRÉPARATION
30 minutes

CUISSON
45 minutes

Pour 4 personnes

MARCHÉ

Pour la pâte à nouilles

200 g de farine
2 œufs
2 cuil. à soupe d'huile d'olive
1 pincée de sel

Pour la sauce Béchamel

1/2 litre de lait
30 g de beurre
30 g de farine
1 pincée de macis en poudre
Sel, Hot Pepper

Pour les tomates concassées

400 g de tomates
80 g d'oignons ciselés
1 gousse d'ail hachée
1 pincée d'herbes de Provence
1/2 cuil. à café de miso d'orge
1/2 cuil. à café de sucre
4 cuil. à soupe d'huile d'olive
Sel

Pour la finition

400 g d'aubergines
180 g de mozzarella
30 g de parmesan
30 g de farine
10 cl d'huile d'olive

Préparer la pâte à nouilles : dans un saladier faire une fontaine avec la farine, casser les œufs au milieu, verser l'huile et le sel. Bien mélanger en pétrissant la pâte avec les mains afin d'obtenir une pâte homogène. L'envelopper de film alimentaire pour éviter qu'elle ne se dessèche.

Réaliser la sauce Béchamel en faisant un roux* blanc avec le beurre et la farine, cuire 5 minutes sans coloration, verser le lait bouillant et amener à ébullition en remuant avec un fouet. Saler, ajouter le macis et le Hot Pepper. Cuire à petit feu 15 minutes.

Préparer les tomates concassées* : monder*, épépiner et concasser les tomates. Chauffer l'huile d'olive dans une cocotte et faire rissoler l'oignon avec l'ail et les herbes de Provence. Ajouter les tomates, du sel, le sucre et le miso. Bien mélanger et cuire 15 minutes à petit feu, couvert d'un rond de papier sulfurisé.

En fin de cuisson, mélanger au fouet les tomates concassées et la béchamel pas trop épaisse.

À l'aide d'un économe, éplucher les aubergines en ôtant une lanière de peau sur deux et couper les extrémités. Détailler des tranches de 3 mm d'épaisseur dans le sens de la hauteur. Les passer très superficiellement dans la farine puis dorer les deux côtés dans une poêle à l'huile d'olive, les égoutter sur du papier absorbant.

Détailler de fines tranches de mozzarella, râper le parmesan.

Huiler un moule à gratin. Abaisser finement la pâte à nouilles sur 1 mm d'épaisseur. Couper trois abaisses de la taille du moule.

Tapisser d'une abaisse le fond du moule, poser dessus des tranches d'aubergine, napper de sauce et poser des tranches de mozzarella. Poser dessus une abaisse de pâte et renouveler cette opération deux fois. Terminer par une couche de sauce, parsemer de parmesan et cuire au four préchauffé à 180 °C (th. 6) pendant 30 à 35 minutes.

COUSCOUS *de* LÉGUMES

Ce plat typique du soleil et de la Méditerranée est tout un symbole. Il peut se réaliser à chaque saison, avec des légumes différents, et son équilibre nutritionnel est parfait.

PRÉPARATION
45 minutes
CUISSON
40 minutes
Pour 4 personnes

MARCHÉ
200 g d'oignons
200 g de poireaux
50 g de céleri-branche
200 g de carottes
200 g de courgettes
300 g d'aubergines
100 g de poivron rouge
100 g de fenouil
80 g de navets
300 g de tomates
4 gousses d'ail hachées
80 g de pois chiches cuits
20 g de miso d'orge
1 bouquet garni de persil, sauge, sarriette, thym et laurier
1/2 cuil. à café de cumin
1/2 cuil. à café de coriandre
1/2 cuil. à café de ras el-hanout
1/2 cuil. à café de piment d'Espagne
1/2 cuil. à café d'herbes de Provence
1/2 cuil. à café de zeste de citron en poudre
4 cuil. à soupe d'huile d'olive
Sel

Pour le couscous
250 g de couscous
50 g de pignons torréfiés
50 g de raisins secs
25 cl d'eau bouillante
1/2 cuil. à café de miso d'orge
4 cuil. à soupe d'huile d'olive
Sel

Pour les croquettes
50 g de tofu
50 g de seitan
1 œuf
30 g de farine de pois chiches
60 g de chapelure
30 g de levure alimentaire maltée
1 pincée de chacune des épices et aromates suivants : sel, cumin, coriandre, herbes de Provence, fenugrec, ras el-hanout
Huile de friture

Pour la décoration
Coriandre et menthe fraîches

Monder*, épépiner et concasser* les tomates. Éplucher tous les légumes et les tailler en cubes de 2 cm de côté (petite mirepoix*).

Dans une cocotte à fond épais, faire rissoler avec l'huile d'olive les oignons, les poireaux, le céleri, les carottes, le fenouil et les herbes de Provence pendant 5 minutes.
Ajouter les courgettes, l'aubergine, le poivron et les navets, faire rissoler encore 5 minutes en remuant fréquemment puis ajouter l'ail et toutes les épices, cuire 3 minutes.
Verser les tomates, le bouquet garni, le sel, les pois chiches et le miso dilué dans 15 cl d'eau.

Amener à ébullition, cuire à petit feu avec un rond de papier sulfurisé et un couvercle pendant 25 à 30 minutes.

Préparer le couscous. Chauffer l'huile d'olive dans un récipient à fond très épais, verser la semoule, bien mélanger pour nacrer* les graines, ajouter les raisins secs et mouiller avec 25 cl d'eau bouillante parfumée au miso et salée. Couvrir d'un rond de papier sulfurisé, garder 1 minute sur le feu, retirer du feu et laisser gonfler la semoule 15 minutes.
Égrainer avec une fourchette en incorporant les pignons torréfiés.

Réaliser les croquettes. Dans un robot mixeur, verser tous les ingrédients et épices qui la composent. Mélanger et rectifier l'assaisonnement. Façonner des boulettes avec de la farine et les plonger dans la friture à 200 °C pendant 3 ou 4 minutes avant de les servir avec le couscous.

Décorer avec les branches de coriandre et de menthe.

AUBERGINES *au* RIZ
et SAVEURS MÉDITERRANÉENNES

Les végétaliens ne consomment ni œuf ni produits laitiers.
Cette recette leur est tout particulièrement destinée.
C'est une préparation peu calorique et facile à réaliser.

PRÉPARATION

20 minutes

CUISSON

40 minutes
Pour 4 personnes

MARCHÉ

500 g d'aubergines
350 g de tomates
100 g de riz semi-complet
50 g de lentilles
Chapelure
1 pincée d'herbes de Provence
1/2 cuil. à café de coriandre en poudre
1 pincée de cumin
1 cuil. à soupe de persil haché
1 cuil. à soupe de basilic haché
1 cuil. à soupe de coriandre hachée
1 cuil. à soupe de ciboulette émincée
Sel, Hot Pepper

VEGAN

Éplucher les aubergines en ôtant une lanière de peau sur deux, couper les extrémités et les détailler dans le sens de la longueur sur 5 mm d'épaisseur. Les plonger 10 minutes dans une marmite d'eau bouillante et les égoutter aussitôt.

Saler l'eau et y cuire ensemble le riz et les lentilles 25 minutes à petit feu.

Monder*, épépiner et concasser* les tomates, prélever 100 g et les mixer en fine purée.

Égoutter le riz et les lentilles, débarrasser dans un saladier, saler et ajouter le Hot Pepper, les herbes de Provence, le cumin et la coriandre.

Ajouter toutes les herbes, les tomates concassées et lier le tout avec la purée de tomates.

Huiler et chemiser de chapelure un grand moule à soufflé. Disposer au fond des tranches d'aubergine en les faisant légèrement chevaucher, puis la moitié de la préparation au riz, recommencer avec les tranches d'aubergine, puis le restant de la préparation et terminer par une couche d'aubergines. Faire cuire au four préchauffé à 200 °C (th. 6-7) pendant 30 à 40 minutes. Laisser reposer 15 minutes et démouler avant de servir.

Tomate

Merci à Christophe Colomb de nous avoir rapporté des Amériques ce fruit-légume si consommé de nos jours.
La tomate doit son surnom de « pomme d'amour » à une coutume du XVIIIᵉ siècle où on la destinait au repas de mariage.
Il existe des dizaines de cultivars aux goûts variés : green zebra, ananas, noire de Crimée, cornue des Andes, cœur de bœuf…
Quelle que soit sa variété, la tomate doit se manger l'été.

SYMPHONIE *de* TOMATES

Pour réaliser cette délicieuse entrée, vous pouvez associer différentes variétés.
Si vous avez la chance de trouver des green zebra et des tomates ananas, interprétez
vous-même les associations.

PRÉPARATION
40 minutes

CUISSON
30 minutes

Pour 4 personnes

MARCHÉ

Pour les tomates farcies au pesto

4 petites tomates + 1 grosse
2 gousses d'ail
50 g de pignons torréfiés
1 citron
1/2 bouquet de basilic
5 cl d'huile d'olive
1 cuil. à soupe de tamari
1/2 cuil à café de sucre
Sel

Pour le velouté de tomate

50 g d'oignons
50 g de carottes
2 gousses d'ail
150 g de concentré de tomate
1/2 cuil. à café de miso d'orge
3 cuil. à soupe de farine
100 g de crème de soja
40 cl d'eau
1 bouquet garni
1 pincée d'herbes de Provence
4 cuil. à soupe d'huile
1 cuil. à café de sucre
Sel, Hot Pepper

Pour le bavarois de tomates

400 g de tomates bien mûres
100 g d'oignons ciselés
2 gousses d'ail hachées
1 bouquet garni
5 g d'agar-agar
100 g de crème fraîche
2 cuil. à soupe d'huile d'olive
1 cuil. à café de sucre
Sel, Hot Pepper

Préparer les tomates farcies au pesto : monder* et épépiner la grosse tomate. Retirer le chapeau des quatre petites tomates et les évider avec une cuillère (réserver la pulpe et le jus pour le velouté de tomate). Saler le fond des tomates. Détailler en brunoise* la tomate mondée.

Dans un petit saladier mélanger la brunoise de tomate, les pignons torréfiés, le jus du citron, le sucre, le tamari, saler.

Blanchir* fortement les gousses d'ail et les mixer avec le basilic en versant l'huile d'olive. Ajouter cette émulsion à la brunoise de tomate. Rectifier l'assaisonnement et garnir les tomates. Remettre les chapeaux.

Pour le bavarois : monder, épépiner et concasser* les tomates, les mettre au réfrigérateur. Réserver la peau et les pépins pour le velouté de tomate.

Préparer le velouté de tomate : dans une cocotte chauffer l'huile d'olive et faire rissoler 3 minutes les oignons et les carottes émincés avec l'ail écrasé et les herbes de Provence. Ajouter la farine et cuire quelques minutes sans coloration ou au four à 170 °C (th. 5-6) pendant 5 minutes.

Ajouter le concentré de tomate, la pulpe et le jus des tomates farcies ainsi que la peau et les pépins des tomates du bavarois. Verser l'eau et le miso. Porter à ébullition avec un fouet, ajouter le bouquet garni, du sel, le sucre et le Hot Pepper, baisser le feu et cuire 20 minutes à feu doux. Passer la sauce tomate au chinois-étamine.

Prélever un quart de la sauce pour le bavarois. Mettre le reste de la sauce tomate sur le feu, y râper le gingembre frais (la valeur d'une demi-cuillerée à café), amener à ébullition, ajouter la crème de soja et passer au chinois-étamine. Réserver le velouté au frais.

Préparer le bavarois : chauffer l'huile d'olive dans une cocotte, faire rissoler sans coloration les oignons avec l'ail. Ajouter les tomates concassées, le bouquet garni, du sel, le sucre et le Hot Pepper. Porter à ébullition, couvrir d'un rond de papier sulfurisé et cuire 15 minutes à petit feu.

Retirer du feu, ôter le bouquet garni, incorporer le quart de sauce tomate, mixer légèrement et incorporer au fouet l'agar-agar. Porter à ébullition, retirer du feu et incorporer la crème fraîche. Rectifier l'assaisonnement et verser dans des moules. Réserver au réfrigérateur.

Servir les trois préparations ensemble : démouler le bavarois et le présenter accompagné d'une tomate farcie au pesto et d'un petit verre de velouté très frais.

TOMATE *à la* MOUTARDE

Ce sont les Romains qui introduisirent la moutarde en Gaule.
La moutarde française se vend à l'état de pâte, c'est un mélange de farine
de moutarde blanche et noire additionnée d'aromates délayés avec du verjus
(moutarde de Dijon) ou avec du moût (moutarde de Bordeaux).
En Italie, la moutarde de Crémone contient des fruits confits.

PRÉPARATION
20 minutes

CUISSON
30 minutes

Pour 4 personnes

MARCHÉ
Pour la pâte brisée

150 g de farine
70 g de beurre
1 pincée de sel
1 œuf

Pour la garniture

100 g de courgettes
300 g de tomates
100 g de champignons de Paris
100 g de fromage de brebis ou de chèvre
80 g de moutarde à l'ancienne
1 pincée de sarriette en poudre
Sel, poivre du moulin

Réaliser la pâte brisée : dans un saladier sabler* la farine avec le beurre et le sel. Ajouter l'œuf et pétrir afin de rendre la pâte homogène.

Abaisser* la pâte sur 3 mm d'épaisseur et foncer un moule à tarte préalablement beurré.

Éplucher les courgettes en ôtant une lanière de peau sur deux, les couper en lamelles de 5 mm d'épaisseur. Les blanchir* dans de l'eau bouillante salée pendant 4 minutes, les retirer aussitôt et les plonger dans une eau glacée pour stopper la cuisson.

Monder* les tomates et les détailler en tranches de 5 mm d'épaisseur. Trier, laver et émincer les champignons.

Avec un pinceau, badigeonner le fond de pâte de moutarde. Disposer les tranches de courgette égouttées en laissant le moins d'espace vide. Parsemer de champignons émincés. Saler, poivrer et ajouter la sarriette. Recouvrir les champignons de tranches de tomate en les faisant légèrement se chevaucher. Badigeonner de moutarde les tomates, saler légèrement et recouvrir de fines tranches de fromage de brebis ou de chèvre.

Cuire au four préchauffé à 180 °C (th. 6) pendant 30 à 35 minutes.

SAVARIN *à la* TOMATE

Si vous n'avez pas de moules à savarin, vous pouvez utiliser des petits ramequins.
L'appellation de la recette sera alors « baba à la tomate ».
Mais la recette de la pâte pour babas ou pour savarins est la même.
Le baba est un dérivé du kugelhof (ou kouglof) qui se faisait depuis 1609.
C'est Stanislas Leszczynski, roi de Pologne, qui imagina de manger ce gâteau
trempé dans un sirop avec du rhum.

PRÉPARATION
40 minutes

CUISSON
25 minutes

Pour 4 personnes

MARCHÉ
Pour la pâte
100 g de farine
80 g de beurre
10 g de sucre
1 œuf
5 g de levure de boulanger
3 cuil. à soupe de lait
1 pincée de sel

Pour le jus de tomate
600 g de tomates bien mûres
1 cuil. à soupe de tamari
Sel, Hot Pepper

Pour la garniture
1/4 de litre de crème liquide
   très froide
30 g de flocons de tomate
1 cuil. à soupe de jus de citron
1 cuil. à café de sucre
1 cuil. à café de tamari
Sel, Hot Pepper

Préparer la pâte : délayer la levure dans le lait tiède. Dans une petite casserole faire fondre le beurre.

Dans un robot batteur-mélangeur, mettre la farine, le sel, le sucre, l'œuf et verser la levure délayée. Mélanger quelques minutes, puis verser le beurre fondu et continuer de mélanger énergiquement pendant 5 minutes environ. La pâte devient très élastique et doit se détacher des parois de la cuve.

Beurrer des moules et les remplir à moitié de pâte. Recouvrir d'un film alimentaire et faire lever dans un endroit tiède.

Dès que la pâte atteint le haut des moules, cuire au four préchauffé à 180 °C (th. 6) pendant 25 minutes. Laissez refroidir avant de démouler.

Préparer le jus de tomate : mixer 400 g de tomates avec le tamari, du sel, le Hot Pepper et 25 cl d'eau. Faire tiédir à feu moyen et passer au chinois.

Verser le jus de tomate sur les savarins afin de bien les en imbiber.

Monder* et peler le reste (200 g) des tomates, détailler des petits quartiers afin de décorer les savarins.

Dans un saladier monter* la crème en chantilly, ajouter les flocons de tomate, le jus de citron, le tamari, du sel, le sucre et le Hot Pepper en mélangeant délicatement avec une spatule.

À l'aide d'une poche à douille cannelée, décorer le centre des savarins de chantilly à la tomate ou déposer une rosace sur le baba.

Servir bien frais.

GASPACHO

Cette préparation évoque l'Espagne, le soleil, les vacances. Il serait préférable de la faire la veille en la gardant au réfrigérateur. Je recommande de la servir avec des tranches de pain grillé. Cette recette ne nécessite pas de cuisson.

PRÉPARATION

20 minutes

REPOS

1 à 2 heures

Pour 4 personnes

MARCHÉ

2 grosses tomates
1 concombre
1 petit poivron vert
1 petite courgette niçoise vert clair
20 g de céleri
1 gousse d'ail hachée très finement
1 oignon blanc
1 cébette émincée

60 cl d'eau
1 cuil. à café de ciboulette émincée
1 cuil. à soupe de basilic émincé
1/2 cuil. à café de coriandre,
    de cumin et de ras-el-hanout
    en poudre
4 tranches de pain semi-complet
10 cl d'huile d'olive
10 g de sel, Hot Pepper

Éplucher et égrainer le concombre. Monder, épépiner et détailler en brunoise* les tomates. Épépiner le poivron. Détailler en fine brunoise le concombre ainsi que le poivron, le céleri et la courgette. Ciseler finement l'oignon.

Dans un saladier, verser tous les légumes détaillés en brunoise. Ajouter toutes les épices, le sel, le Hot Pepper, l'huile d'olive, l'ail, l'oignon, le basilic, la cébette et la ciboulette. Bien mélanger, verser l'eau, mélanger à nouveau et mettre à macérer au réfrigérateur 1 à 2 heures minimum. Si cette préparation reste toute une nuit au réfrigérateur, elle n'en sera que meilleure.

Accompagner de tranches de pain grillé.

TOMATE FARCIE

C'est le symbole de la cuisine familiale. Vous pouvez aussi farcir des oignons,
des courgettes, des pommes de terre, des aubergines ou des poivrons,
qu'il faudra blanchir au préalable.
Comptez deux tomates par personne.

PRÉPARATION

20 minutes

CUISSON

30 à 40 minutes

Pour 4 personnes

MARCHÉ

8 tomates
200 g de tomates mondées, épépinées
  et concassées
150 g d'oignons ciselés
3 gousses d'ail hachées
80 g de riz semi-complet
80 g de levure alimentaire maltée
150 g de pain semi-complet

1 cuil. à soupe de graines
  de tournesol, de noisettes
  et de noix concassées
2 cuil. à soupe de persil haché
2 cuil. à soupe de basilic haché
4 cuil. à soupe d'huile d'olive + 1 filet
1 pincée de quatre-épices
1 pincée d'herbes de Provence
Sel, Hot Pepper

Retirer le pédoncule des huit tomates, les retourner, couper et réserver les chapeaux.
Évider les tomates en évitant de les percer. Saler l'intérieur et les retourner dans une passoire
pour faire sortir l'eau.

Chauffer l'huile d'olive dans une cocotte et y faire blondir les oignons, ajouter les tomates
concassées et cuire à petit feu pour faire évaporer l'eau de végétation.

Tremper le pain dans de l'eau tiède, bien presser et hacher au couteau.

Cuire le riz à l'eau, bien égoutter.

Ajouter dans la cocotte, hors du feu, le riz, le pain concassé, l'ail, les graines de tournesol,
les noisettes, les noix, le persil, le basilic, le quatre-épices et les herbes de Provence.
Bien mélanger avec une spatule et incorporer la levure. Saler et ajouter le Hot Pepper.

À l'aide d'une poche à douille, farcir les tomates en dôme puis les disposer dans un plat
à gratin huilé.

Poser les chapeaux sur les tomates, verser un filet d'huile d'olive par-dessus et faire cuire
au four préchauffé à 180 °C (th. 6) pendant 30 à 40 minutes.

TOMATE *en* SURPRISE
et POLENTA *de* MAÏS

*Cette recette en surprendra plus d'un. L'œuf cuit dans la tomate frite, comme
un œuf coque. La polenta se fait avec de la semoule de maïs. C'est un aliment
très digeste et une source de magnésium et de phosphore. Cette spécialité
italienne, qui se prête à de nombreuses préparations, se cuisine rapidement
lorsqu'elle est précuite.*

PRÉPARATION

20 minutes

CUISSON

15 minutes

Pour 4 personnes

MARCHÉ

4 tomates
4 œufs très frais + 2 œufs pour la panure
80 g de farine
150 g de chapelure
Sel, poivre du moulin
Huile de friture

Pour la polenta

1 petit poireau
1 courgette
1/2 cuil. à café de miso d'orge
100 g de semoule de maïs
10 cl de crème de riz
   ou de crème fraîche
   ou de crème de soja
80 g de parmesan
4 cuil. à soupe d'huile d'olive
Sel, Hot Pepper

Préparer la polenta : trier et laver le poireau et la courgette. Éplucher la courgette
en ôtant une lanière de peau sur deux avec un économe. Tailler en paysanne* les légumes.
Râper le parmesan. Chauffer l'huile d'olive dans une cocotte, ajouter les légumes
et les faire suer* 5 à 6 minutes. Verser le miso dilué dans un demi-litre d'eau, amener à ébullition.

Mélanger avec un fouet et verser en pluie la semoule de maïs. Baisser le feu, saler et ajouter
le Hot Pepper et cuire 5 minutes à petit feu.

Au moment de servir, ajouter dans la polenta la crème de riz et le parmesan. Redonner
une ébullition. Garder la polenta au chaud.

Préparer la tomate en surprise : ne pas retirer le pédoncule, faire une incision sur le dessus
des tomates, les monder*, les éplucher, couper délicatement des chapeaux pas trop importants
avec un couteau et évider les tomates à l'aide d'une cuillère sans les percer ni les fendre.

Saler et poivrer l'intérieur. Casser un œuf dans chaque tomate.

Paner deux fois les tomates : cette opération est très délicate. Les passer dans la farine puis
dans les deux œufs battus en omelette avec 5 cuillerées à soupe d'eau et 1 cuillerée à soupe
d'huile d'olive puis dans la chapelure. Renouveler l'opération.

Chauffer un bain de friture à 200 °C et plonger les tomates une à une délicatement
avec une araignée ou une écumoire. Quand les tomates ont pris une couleur bien dorée
(environ 3 minutes), les retirer et les égoutter sur du papier absorbant. Saler légèrement
et servir aussitôt.

BEIGNETS *d'*OIGNONS *et* DUXELLES *de* CHAMPIGNONS *sur* TOMATES

Les beignets d'oignons se préparent avec des oignons blancs ou violets.
Vous pourrez également les servir en apéritif : succès garanti !

PRÉPARATION
20 minutes

CUISSON
35 minutes

Pour 4 personnes

MARCHÉ

Pour le boulgour

150 g de boulgour
4 grosses tomates
150 g de poireaux (blanc et vert)
2 cuil. à soupe d'huile d'olive
10 cl d'eau salée
1/2 cuil. à café d'herbes de Provence

Pour la duxelles

400 g de champignons de Paris
    ou un mélange de champignons
    sylvestres concassés
80 g d'échalotes ciselées
2 gousses d'ail finement hachées

2 cuil. à soupe d'huile d'olive
2 cuil. à soupe de persil haché
Sel, poivre du moulin

Pour la pâte à frire

125 g de farine
1 œuf
1 cuil. à soupe d'huile d'olive
5 cl d'eau
1 pincée de sel, Hot Pepper

Pour les beignets d'oignons

2 gros oignons blancs

Préparer la pâte à frire : dans un saladier mettre la farine, un jaune d'œuf (réserver le blanc dans un petit saladier), l'huile d'olive, le sel, le Hot Pepper et l'eau. Mélanger afin de former une pâte homogène, réserver à température ambiante en couvrant d'un film alimentaire afin d'éviter qu'elle ne se dessèche.

Retirer le pédoncule des tomates, les couper en deux dans le sens de la largeur, les épépiner et les ranger dans un plat à gratin huilé. Assaisonner de sel et poivre.

Préparer le boulgour : détailler en paysanne* le poireau. Chauffer 2 cuillerées à soupe d'huile d'olive dans une cocotte et faire suer* les poireaux 5 minutes sans coloration avec les herbes de Provence. Ajouter le boulgour, mélanger et mouiller avec l'eau salée. Porter à ébullition, couvrir d'un rond de papier sulfurisé et laisser gonfler sur feu doux pendant 10 minutes.

Préparer la duxelles* : dans une cocotte chauffer 2 cuillerées à soupe d'huile d'olive. Ajouter les échalotes. Mélanger et cuire 2 minutes puis verser les champignons concassés, monter le feu. Saler, poivrer et retirer du feu quand il n'y a plus d'eau de végétation. Ajouter l'ail et le persil, rissoler à feu vif 1 minute.

Garnir les tomates avec le boulgour.

Répartir la duxelles sur le boulgour et passer au four préchauffé à 200 °C (th. 6-7) pendant 15 minutes.

Éplucher les oignons, les détailler en rondelles pour obtenir des rouelles.

Monter* en neige très ferme le blanc d'œuf et l'incorporer délicatement à la pâte à frire.

Passer les rouelles dans la pâte à frire et cuire à grande friture en les faisant dorer de chaque côté. Égoutter les beignets, les poser sur du papier absorbant et les servir en les faisant se chevaucher sur toutes les tomates.

GRATIN *de* TOMATES *au* MILLET *avec* COURGETTES

Le millet est une céréale bien équilibrée, qui contient tous les acides aminés
et même de la lysine, très riche en phosphore, en fer et en vitamine A.
Cette céréale nutritive est idéale contre la fatigue intellectuelle.
Très digeste, le millet ne provoque ni acidité ni fermentation et il est exempt de gluten.
Suivant sa provenance, il est blanc ou jaune.
C'est une céréale qui plaît aux enfants.

PRÉPARATION
20 minutes

CUISSON
40 minutes
Pour 4 personnes

MARCHÉ
150 g de millet
600 g de tomates
300 g de courgettes
1/4 de litre de lait d'amande
80 g de purée d'amandes
Amandes effilées
Sel, poivre du moulin

VEGAN

Dans un demi-litre d'eau salée en ébullition verser le millet, cuire à petit feu 15 minutes puis l'égoutter dans une passoire.

Monder* les tomates, détailler des tranches de 5 mm d'épaisseur et tapisser le fond d'un plat à gratin huilé en les faisant se chevaucher.

Saler et poivrer. Recouvrir les tomates du millet cuit égoutté.

Éplucher les courgettes en ôtant une lanière de peau sur deux (si ce sont des petites courgettes niçoises, il est inutile de les éplucher), les râper, mixer le lait d'amande et la purée d'amandes dans un saladier, lier les courgettes avec le lait mixé. Assaisonner de sel et recouvrir le millet de la préparation.

Parsemer d'amandes effilées et cuire au four préchauffé à 180 °C (th. 6) pendant 25 minutes.

TOMATE *à la* PROVENÇALE
sur GALETTES *aux* PIGNONS

La tomate à la provençale, qui accompagne généralement l'agneau ou le rôti de bœuf, est un grand classique de la cuisine. N'allez pas chercher des variétés trop exotiques de tomates, la bonne tomate de Provence sera parfaite !

PRÉPARATION
30 minutes

CUISSON
20 minutes

Pour 4 personnes

MARCHÉ
Pour les tomates provençales

4 grosses tomates
1/2 bouquet de persil plat
2 gousses d'ail
80 g de chapelure
2 cuil. à soupe d'huile d'olive + 5 cl
Sel, poivre

Pour les galettes aux pignons

100 g d'oignons finement ciselés
1 gousse d'ail finement hachée
1 cuil. à soupe d'huile d'olive
80 g de pain semi-complet
1 cuil. à café de tamari
10 g de levure alimentaire maltée
1 œuf
20 g de gruyère râpé
50 g de fromage blanc
30 g de pignons
30 g de farine
50 g de graisse végétale
Chapelure (si nécéssaire)
1 pincée de sel, Hot Pepper

Retirer le pédoncule des tomates, les couper en deux dans le sens de la largeur, les épépiner et les poser côté chair dans une poêle chaude avec 2 cuillerées à soupe d'huile d'olive. Les précuire 2 à 3 minutes en les tournant en cours de cuisson puis les débarrasser dans un plat à gratin.

Préparer la farce à la provençale : mixer l'ail avec le persil, ajouter la chapelure et terminer par les 5 cl d'huile d'olive. Saler légèrement. Répartir cette farce dans les tomates. Cuire au four préchauffé à 180 °C (th. 6) pendant 20 minutes.

Pendant ce temps préparer les galettes aux pignons : dans une cocotte chauffer l'huile d'olive et y faire suer* les oignons avec l'ail, ajouter le pain émietté, le sel et le Hot Pepper. Bien mélanger, étuver avec un rond de papier sulfurisé sur feu doux pendant 5 minutes.

Dans la cuve d'un mixeur, verser la préparation, ajouter le tamari, la levure, l'œuf, le gruyère râpé et le fromage blanc. Bien mixer le tout.

Torréfier* à sec les pignons dans une poêle jusqu'à ce qu'ils soient blond doré, les ajouter à la préparation sans mixer (si l'appareil manque de consistance, ajouter une ou deux poignées de chapelure).

Façonner avec un peu de farine des rouleaux de 3 cm de diamètre et détailler dedans des galettes de 1 cm d'épaisseur.

Dans une poêle, chauffer la graisse végétale et dorer les galettes de chaque côté.

Servir en accompagnement des tomates à la provençale.

TOMATE SOUFFLÉE
et POMMES NOUVELLES

*Cette préparation ne peut se terminer qu'au dernier moment, quand vous devez
passer à table, c'est l'exigence du soufflé : aussitôt cuit aussitôt servi !
Les pommes rissolées enchanteront toujours votre petite tablée.*

PRÉPARATION

20 minutes

CUISSON

40 à 45 minutes

Pour 4 personnes

MARCHÉ

400 g de petites pommes de terre
    nouvelles
4 grosses tomates
300 g de tomates pour la farce
80 g d'oignons finement ciselés
2 gousses d'ail finement hachées
80 g de concentré de tomate
5 cl d'huile d'olive + 3 cuil. à soupe
50 g de graisse végétale
10 g de beurre pour les cheminées
    de papier sulfurisé

1 pincée d'herbes de Provence
1 bouquet garni
1/2 cuillerée à café de sucre
1/2 cuil. à café de miso d'orge
30 g de flocons de tomate
Sel, Hot Pepper, poivre du moulin

Pour l'appareil à soufflé

30 g de beurre
30 g de farine
20 cl de lait
3 œufs

Bien laver les pommes de terre, ne pas les éplucher et les faire blanchir* (départ à l'eau froide,
égoutter à l'ébullition).

Dans une cocotte à fond épais chauffer 5 cl d'huile d'olive avec la graisse végétale,
y précipiter les pommes de terre et les faire rissoler 4 minutes à feu vif, en remuant
fréquemment jusqu'à ce qu'elles colorent, puis saler, baisser le feu et finir de cuire avec
un couvercle, remuer de temps en temps.

Préparer les tomates à farcir : retirer le pédoncule des quatre grosses tomates et les couper
en deux dans la largeur, les épépiner et les disposer bien à plat dans un plat à gratin,
saler et poivrer. Monter des cheminées de papier sulfurisé (grassement beurrées) de 5 cm
dans chaque demi-tomate.

Préparer les tomates concassées* : monder*, épépiner et concasser les tomates.

Dans une cocotte chauffer 3 cuillerées à soupe d'huile d'olive et y rissoler les oignons,
l'ail et les herbes de Provence 3 à 4 minutes, puis ajouter les tomates concassées avec le concentré
de tomate, le bouquet garni, du sel, le sucre, le miso et le Hot Pepper. Bien mélanger,
amener à ébullition, couvrir d'un rond de papier sulfurisé, baisser le feu et laisser mijoter
15 à 20 minutes puis retirer le bouquet garni et ajouter les flocons de tomate.

Préparer l'appareil à soufflé : faire fondre le beurre, ajouter la farine et cuire le roux* blanc
à petit feu pendant 4 à 5 minutes, mouiller avec le lait et bien mélanger avec une spatule
en bois, ajouter la préparation à la tomate, mélanger et lisser au fouet, amener à ébullition,
retirer du feu et incorporer les trois jaunes d'œufs. Rectifier l'assaisonnement.

Monter* les blancs en neige très ferme, les incorporer délicatement dans cette préparation
et garnir avec une poche à douille les cheminées au centre des demi-tomates.

Faire cuire au four préchauffé à 200 °C (th. 6-7) pendant 20 à 25 minutes.

Servir aussitôt, accompagné des pommes rissolées bien égouttées.

Courgette

Il existe de nombreuses variétés de courgettes. La plus courante, que l'on trouve de Lille à Perpignan, est vert foncé, souvent pleine de graines et a parfois un goût d'amertume. Il faut alors la zébrer, c'est-à-dire éplucher une lanière de peau sur deux à l'aide d'un économe.

Il y a la ronde de Nice (pour les farcis), la demi-longue de Nice, la coureuse longue de Nice avec la fleur au bout, qui peut donner les immenses courges violons si on les laisse grossir. Les variétés vert clair sont les meilleures. Celle qui a ma préférence est une variété que l'on cueille toute jeune avant qu'elle se développe : il s'agit de la courgette trompette. Les graines sont inexistantes. Vert tendre et très lisse, elle se mange également crue, en entrée, comme un « carpaccio »… C'est vraiment délicieux.

La chair des courgettes est très délicate ; grâce à sa teneur en potassium, en eau et en fibres elle est idéale pour la ligne. Les graines, quant à elles, sont riches en phosphore. Quelles que soient les variétés, il est important de les choisir bien fermes et brillantes. Les fleurs de courgette sont une spécialité culinaire de la région niçoise.

TIAN *aux* HERBES *et aux* CÉRÉALES
à la VAPEUR *de* SAUGE

En provençal, le tian désigne le récipient dans lequel on fait cuire des gratins.
Ce plat comporte des épinards (la variété que l'on trouve en été est la tétragone).
Pour gagner du temps, on peut réaliser cette recette avec une seule variété
de céréales et la cuire à l'eau plutôt qu'à la vapeur.

PRÉPARATION
30 minutes
CUISSON
50 minutes
Pour 4 personnes

MARCHÉ
200 g d'oignons
200 g de poireaux (blanc et vert)
400 g de courgettes
1/2 botte de verts de blettes
300 g d'épinards
1 cuil. à soupe de persil haché
300 g de tomates
1 cuil. à soupe de cerfeuil haché
1 cuil. à soupe d'huile d'olive
50 g de gruyère râpé
1 œuf + 1 œuf dur
Sel, poivre

Pour les céréales
50 g de millet
50 g de sarrasin
50 g d'orge
1 branche de sauge

Sans gluten

Éplucher et laver les oignons, les poireaux et les courgettes. Les détailler en petite mirepoix*
ainsi que les courgettes.

Nettoyer les blettes et les épinards. Les faire blanchir* 3 minutes dans de l'eau bouillante salée,
les passer sous l'eau froide, les égoutter et les presser pour retirer l'excédent d'eau.
Les concasser* au couteau ainsi que l'œuf dur.

Peler, épépiner et concasser les tomates.

Dans une cocotte faire chauffer l'huile d'olive, y faire suer* les oignons et les poireaux
pendant 5 minutes, ajouter les courgettes, les épinards et les blettes. Laisser mijoter 10 minutes.
Ajouter les tomates, l'œuf dur, le cerfeuil et le persil. Saler, poivrer. Bien mélanger le tout
hors du feu puis incorporer l'œuf battu en omelette et le gruyère.

Verser la préparation dans un plat creux à gratin huilé, saupoudrer de gruyère
et cuire au four préchauffé à 180 °C (th. 6) pendant 25 à 30 minutes.

Faire infuser la sauge dans le bas d'un couscoussier avec 2 litres d'eau chaude pendant 10 minutes.

Déposer chaque céréale dans des petites passoires. Les mettre sur la partie supérieure
du couscoussier, couvrir et laisser cuire à la vapeur pendant 50 minutes.

Servir les céréales en accompagnement du tian.

GÂTEAU *de* COURGETTE
*à l'*ÉTOUFFÉE *d'*ARTICHAUTS

*J'avais créé cette recette pour une présentation de cuisine à Télé Monte-Carlo.
Les flocons 5 céréales peuvent être remplacés par une seule variété de céréales.
La sarriette est une herbe qui compose les herbes de Provence. Poivrée
et parfumée, elle est fréquemment utilisée dans le sud-est de la France.
Son nom en provençal est « lou pébre d'ase », qui signifie « le poivre d'âne ».*

PRÉPARATION
30 minutes

CUISSON
40 minutes

Pour 4 personnes

MARCHÉ
800 g de courgettes
30 g de mie de pain mixée
20 g de beurre
3 cl d'huile d'olive

Pour la farce
200 g de poireaux (blanc et vert)
100 g de flocons 5 céréales
1/4 de litre d'eau mélangé à 1/2 cuil.
  à café de miso
30 g de parmesan
5 cl d'huile d'olive
Sel

Pour la garniture
4 artichauts
200 g de haricots verts frais
100 g de petits pois frais
150 g de petits oignons
1/2 cuil. à soupe de sarriette séchée
  ou fraîche
1 cuil. à soupe de tamari
5 cl d'huile d'olive
Sel
8 tours de moulin à poivre

Pour la décoration
4 branches de sarriette

Couper les extrémités des courgettes et retirer une lanière de peau sur deux avec un économe. Couper seize tranches de 2 mm d'épaisseur dans la longueur. Les faire sauter dans une poêle avec de l'huile d'olive. Tailler en paysanne* le reste des courgettes.

Préparer la farce : mettre à suer* dans l'huile d'olive les poireaux émincés, puis le reste des courgettes émincées. Verser le bouillon de miso, saler et couvrir d'un rond de papier sulfurisé et faire cuire 15 minutes à petit feu. Verser les flocons 5 céréales. Faire cuire de nouveau pendant 5 minutes, retirer du feu et incorporer le parmesan.

Beurrer et chemiser quatre moules avec la mie de pain. Tapisser chaque moule avec quatre tranches de courgette qui se superposeront au centre. Garnir de farce et rabattre les extrémités des tranches de courgette par-dessus. Faire cuire au four préchauffé à 150 °C (th. 5) pendant 20 minutes.

Préparer la garniture : éplucher les petits oignons. Tourner* les artichauts, retirer le foin et les couper en quartiers. Effiler les haricots verts et les couper en deux, écosser les petits pois.

Cuire séparément à l'eau et *al dente* les haricots verts et les petits pois.

Dans l'huile d'olive faire rissoler les petits oignons pendant 5 minutes, ajouter les artichauts, la sarriette, les haricots verts, les petits pois et faire cuire à feu vif et à découvert pendant 5 minutes.

Déglacer* avec le tamari, 5 cl d'eau, saler et ajouter les 8 tours de moulin à poivre. Baisser le feu, couvrir d'un rond de papier sulfurisé et laisser mijoter 5 minutes.

Démouler les gâteaux de courgette et les entourer de la garniture. Arroser d'un cordon de jus.

Piquer sur chaque gâteau une branche de sarriette.

PETITS PÂTÉS RIVIERA

Les petits pâtés se cuisent au four mais ils pourraient être frits, comme des friands. Cette préparation est une entrée, meilleure chaude que froide, ou un plat principal pour un repas léger du soir.

PRÉPARATION

30 minutes

REPOS

1 heure

CUISSON

40 à 45 minutes

Pour 4 personnes

MARCHÉ

Pour la pâte

125 g de farine
1 œuf
2 cuil. à soupe d'huile d'olive
2 cuil. à soupe d'eau tiède
1 pincée de sel

Pour la farce

300 g de courgettes
80 g d'échalotes
1 pincée de thym séché ou frais
1 pincée de sarriette séchée ou fraîche
1 cuil. à soupe de ciboulette émincée
1 cuil. à soupe de basilic haché
Chapelure
1 cuil. à soupe d'huile d'olive
Sel, poivre

Pour la garniture

40 g de pignons
Quelques feuilles de basilic
1 jaune d'œuf

Préparer la pâte : dans un saladier mettre la farine en fontaine, ajouter au centre tous les ingrédients, pétrir du bout des doigts jusqu'à ce que la pâte soit homogène et ne colle plus aux parois. L'envelopper dans du film alimentaire et la laisser reposer 1 heure.

Préparer la farce : éplucher et émincer les échalotes, les faire suer* dans une casserole sur feu doux avec l'huile d'olive, le thym et la sarriette.

Zébrer* éventuellement les courgettes (ôter une lanière de peau sur deux), les laver, les émincer et les ajouter à la préparation, saler, poivrer. Poser un rond de papier sulfurisé et laisser cuire 10 minutes à petit feu. Remuer de temps en temps jusqu'à ce qu'il n'y ait plus du tout de liquide. Mixer le tout. Ajouter le basilic et la ciboulette. Laisser refroidir (ajouter une poignée de chapelure si la préparation est trop liquide).

Abaisser* la pâte sur 2 mm d'épaisseur et découper à l'emporte-pièce huit ronds de 8 cm de diamètre.

Ranger quatre ronds de pâte sur une plaque à pâtisserie huilée, les passer au jaune d'œuf battu avec 1 cuillerée à soupe d'eau. Déposer au centre 3 cuillerées à soupe de farce. Recouvrir avec les abaisses de pâte restantes en soudant les bords. Dorer la surface au jaune d'œuf et parsemer dessus quelques pignons.

Cuire au four préchauffé à 200 °C (th. 6-7) pendant 25 à 30 minutes.

Servir bien chaud avec quelques feuilles de basilic fraîches, du mesclun ou une salade de saison.

ATTEREAUX *de* COURGETTES *au* BEURRE *d'*AIL

*Le mot « brochette » n'évoque généralement pas celui de « légumes ». Pourtant,
ces brochettes-là, panées, frites et servies avec une sauce relevée, sont un vrai régal.
Le terme exact pour une brochette panée et cuite en friture est « attereau ».
Pour les réaliser, utilisez des brochettes en bambou.
Cette préparation pourra être servie avec une salade composée ou une salade verte.*

PRÉPARATION

20 minutes

CUISSON

5 minutes

Pour 4 personnes

MARCHÉ

1 kg de petites courgettes vert clair
   de préférence ou de grosses courgettes
8 gousses d'ail
150 g de beurre

Pour la panure

2 œufs
5 cl d'eau
100 g de farine
150 g de mie de pain ou de chapelure
Huile
Sel, Hot Pepper

Laver les courgettes. Les couper en tronçons de 3 cm de hauteur ou les zébrer*
et les découper en quartiers.

Les faire blanchir* 3 ou 4 minutes à l'eau bouillante salée : elles doivent rester fermes.
Rafraîchir et égoutter. Enfiler ces morceaux sur douze brochettes.

Préparer le beurre d'ail : faire blanchir les gousses épluchées 2 minutes à l'eau bouillante.
Égoutter, passer au mixeur en ajoutant le beurre peu à peu. Assaisonner de façon relevée.
Laisser à température ambiante.

Paner les brochettes : les passer dans la farine, puis dans les œufs battus en omelette
avec l'eau et terminer dans la mie de pain ou la chapelure.

Les faire frire par quatre ou six à la fois, à l'huile très chaude, jusqu'à ce qu'elles soient bien dorées.

Égoutter sur du papier absorbant, saler et servir aussitôt.

PETITS FARCIS NIÇOIS

Ils constituent un repas complet à eux seuls. Traditionnellement les farcis étaient composés à partir de restes de viande.
Très souvent, au siècle dernier, ce plat était apporté chez le boulanger pour qu'il le cuise dans son four après sa fournée.
Il existe également des farcis maigres. Tous les légumes d'ailleurs peuvent être farcis.
Servis chauds ou froids, les petits farcis sont souvent accompagnés d'un mesclun.

PRÉPARATION
40 minutes

CUISSON
40 minutes
Pour 4 personnes

MARCHÉ
4 courgettes rondes
4 petites tomates
2 oignons blancs
4 fleurs de courgette
2 petites aubergines
1 filet d'huile d'olive

Pour la farce
80 g d'oignons
200 g de poireaux (blanc et vert)

500 g de verts de blettes
50 g de riz semi-complet
20 g de levure alimentaire maltée
30 g de parmesan râpé
3 jaunes d'œufs
80 g de pain semi-complet mixé
3 cl d'huile d'olive
1/2 cuil. à café d'herbes de Provence
Sel, Hot Pepper, poivre

Éplucher les oignons blancs et les couper en deux. Les faire blanchir* 5 minutes.

Couper un chapeau sur chaque courgette et couper les aubergines en deux. Évider la pulpe des courgettes et des aubergines avec une cuillère à légumes et blanchir le tout 5 minutes.

Retirer les pistils des fleurs de courgette. Couper les chapeaux sur les tomates et les évider avec une cuillère à légumes.

Sur une plaque à rôtir verser un peu d'huile d'olive et ranger les légumes évidés.

Préparer la farce : ciseler les oignons et émincer en paysanne* les poireaux.

Faire blanchir les verts de blettes, les égoutter et les rafraîchir, bien les presser et les concasser*.

Cuire le riz à l'eau.

Dans une cocotte à fond épais, chauffer l'huile d'olive et y faire rissoler l'oignon et les poireaux environ 5 minutes. Ajouter les blettes, du sel, le Hot Pepper et les herbes de Provence. Mélanger et faire cuire à feu vif pendant 2 minutes.

Retirer du feu et incorporer le riz, la levure, les jaunes d'œufs, le parmesan et le pain. Rectifier l'assaisonnement.

Farcir les fleurs de courgette et tous les légumes évidés. Faire cuire au four préchauffé à 180 °C (th. 6) pendant 20 minutes.

PAILLASSON *de* COURGETTES *aux* POMMES *de* TERRE

*Cette préparation est une interprétation de la pomme Darphin
qui se réalise avec des pommes de terre râpées.
La brunoise de légumes au pistou peut également servir de sauce
pour accompagner une salade ou des crudités.*

PRÉPARATION

30 minutes

CUISSON

15 minutes

Pour 4 personnes

MARCHÉ

Pour le paillasson de courgettes

400 g de courgettes
500 g de pommes de terre
7,5 cl d'huile d'olive
Sel, poivre du moulin

*Pour la brunoise de légumes
au pistou*

300 g de courgettes
300 g d'aubergines
300 g de tomates
2 gousses d'ail
Le jus de 1 citron
50 g de pignons
1/2 bouquet de basilic
1 pincée d'herbes de Provence
Hot Pepper

Préparer le paillasson de courgettes : éplucher les pommes de terre. Si les courgettes sont vert foncé, les zébrer* et les râper (comme des carottes), râper également les pommes de terre et les mélanger aux courgettes, saler et poivrer.

Chauffer 5 cl d'huile d'olive dans une poêle et verser le mélange pommes de terre-courgettes en formant une grosse galette qu'il faut tasser avec une écumoire. Faire dorer chaque face 7 minutes sur feu moyen.

Préparer la brunoise* de légumes au pistou : mixer en fine purée les pignons, l'ail, le basilic, 2,5 cl d'huile d'olive, le jus de citron, les herbes de Provence et le Hot Pepper, saler.

Éplucher les aubergines, zébrer les courgettes si nécessaire, monder* et épépiner les tomates.

Détailler en brunoise régulière les courgettes, les aubergines et les tomates.

Plonger dans une eau bouillante salée la brunoise de courgette pendant 4 minutes puis retirer avec une araignée. Faire de même avec les aubergines pendant 5 minutes.

Réunir les deux brunoises très chaudes bien égouttées et y incorporer le mélange mixé. Ajouter la brunoise de tomate et vérifier l'assaisonnement.

Détailler en quatre portions le paillasson de pommes de terre et de courgettes et répartir à côté de chaque portion la brunoise de légumes au pistou.

VEGAN

GRATIN *de* COURGETTES
et de TOMATES *au* LAIT *d'*AMANDE

*C'est aussi le soleil du Midi qui chante avec cette recette végétalienne.
L'association de l'amande, des olives, de la sarriette, des tomates et des courgettes
offre en bouche une harmonie parfaite.*

PRÉPARATION

20 minutes

CUISSON

25 à 30 minutes

Pour 4 personnes

MARCHÉ

400 g de courgettes
400 g de tomates bien mûres
80 g d'olives noires dénoyautées
1/2 litre de lait d'amande
50 g de purée d'amandes
60 g de crème d'orge en poudre

30 g de chapelure
5 cl d'huile d'olive
1 pincée de thym séché ou frais
1 pincée de sarriette séchée ou fraîche
Sel, Hot Pepper

Retirer le pédoncule des tomates et les monder. Concasser les olives. Zébrer* les courgettes
et les couper en tranches de 5 mm d'épaisseur. Huiler un plat à gratin.

Chauffer le restant d'huile dans une poêle et y faire sauter les tranches de courgette à feu vif
quelques minutes (ne pas cuire complètement les courgettes), saler, saupoudrer de thym
et de sarriette.

Détailler les tomates en tranches de la même épaisseur que celle des courgettes.

Dans une casserole, chauffer le lait d'amande avec la purée d'amandes, saler et ajouter
le Hot Pepper. Amener à ébullition en mélangeant avec un fouet et verser en pluie la crème d'orge,
cuire 5 minutes à petit feu.

Répartir la moitié des courgettes dans le fond du plat, étaler dessus la moitié des tranches
de tomate puis recommencer avec les courgettes et terminer avec les tranches de tomate.

Napper les tomates de la sauce au lait d'amande, recouvrir de chapelure et faire cuire au four
préchauffé à 180 °C (th. 6) pendant 25 à 30 minutes.

FLEURS *de* COURGETTE FARCIES *aux* PIGNONS

Les fleurs de courgette enchantent les touristes qui flânent sur nos marchés azuréens.
Pour avoir des fleurs bien épanouies, il est préférable de les acheter tôt le matin.
La fleur de courgette est coupée sur le plant de courgettes longues, à la base
des tiges qui ne produisent pas de fruits. C'est cette fleur et non la fleur
détachée de la courgette qui est utilisée pour les beignets et les farcis.
Avant de les cuisiner il faut retirer le pistil et raccourcir la tige des fleurs
de courgette à 1 centimètre de la fleur.

PRÉPARATION
30 minutes

CUISSON
40 minutes
Pour 4 personnes

MARCHÉ
8 fleurs de courgette
100 g de poireaux (blanc et vert)
100 g de champignons de Paris
50 g de pleurotes
25 g d'échalotes
5 g de miso d'orge
40 g de pain semi-complet
20 cl de lait
50 g de pignons
1 œuf
1 pincée de macis
1 cuil. à soupe d'huile d'olive
Sel, poivre

Pour les tomates concassées
400 g de tomates
100 g d'oignons
2 gousses d'ail
20 g de concentré de tomate
1 cuil. à soupe d'huile d'olive
1 bouquet garni
1 cuil. à café de sucre
Sel, poivre du moulin

Préparer les tomates concassées : monder* les tomates, les épépiner et les concasser*. Ciseler* les oignons et hacher l'ail.

Dans une cocotte faire chauffer l'huile d'olive, ajouter les oignons et faire rissoler 3 minutes sans coloration, puis ajouter l'ail, les tomates concassées, le concentré de tomate, le bouquet garni, du sel, du poivre et le sucre. Bien mélanger le tout, couvrir d'un rond de papier sulfurisé et cuire sur feu moyen 15 minutes.

Faire tremper le pain dans le lait. Émincer finement les poireaux. Ciseler finement les échalotes. Concasser les champignons.

Dans une sauteuse faire chauffer l'huile d'olive. Ajouter les poireaux, les échalotes et le miso. Laisser suer* 10 minutes. Ajouter les champignons et laisser réduire jusqu'à l'évaporation totale de l'eau de cuisson.

Égoutter, presser et mixer le pain. Torréfier* à sec les pignons.

Hors du feu, ajouter le pain mixé à la préparation puis l'œuf et les pignons. Bien mélanger. Assaisonner de sel, de poivre et de macis.

Retirer le pistil des fleurs de courgette, raccourcir à 1 cm la tige des fleurs et les farcir de la préparation à l'aide d'une poche à douille.

Verser les tomates concassées sur le fond d'un plat à gratin, y déposer les fleurs de courgette farcies. Les arroser d'un filet d'huile d'olive et cuire au four préchauffé à 160 °C (th. 5-6) pendant 20 minutes.

Servir chaud ou froid avec une salade.

GNOCCHIS *de* POMME *de* TERRE *aux* COURGETTES

Les gnocchis niçois ou piémontais sont bien connus des amateurs de cuisine niçoise et italienne. Mais il ne faut pas les confondre avec les gnocchis à la romaine, à base de semoule de blé, et les gnocchis à la parisienne, à base de pâte à choux. Ceux qui figurent dans cette recette sont des gnocchis niçois, de petites quenelles à base de pommes de terre, accompagnés de courgettes fondantes et parfumées.

PRÉPARATION

40 minutes

CUISSON

45 minutes

Pour 4 personnes

MARCHÉ

4 grosses pommes de terre
800 g de petites courgettes
6 gousses d'ail
1 gros oignon
100 g de farine
100 g de beurre
1 bouquet garni
1 branche de thym séché ou frais
1 feuille de laurier

1 petite branche de sauge
1 pincée de sarriette séchée ou fraîche
1 pincée de romarin séché ou frais
1 cuil. à soupe de basilic ou de persil haché
2 cuil. à soupe de vinaigre d'alcool
7,5 cl d'huile d'olive + 1 filet
1 pincée de macis
Sel, poivre du moulin

Faire cuire les pommes de terre dans leur peau, de préférence au four préchauffé à 200 °C (th. 6-7) pendant 40 minutes ou dans une eau bouillante salée. Les couper en deux, retirer la pulpe à la cuillère à soupe. Passer la pulpe au moulin à légumes, grille fine.

Incorporer 5 cl d'huile d'olive, la farine (suivant la variété de pommes de terre, il sera nécessaire de rajouter 50 à 100 g de farine), saler, poivrer et ajouter le macis. Travailler rapidement.

Sur le plan de travail fariné, façonner des rouleaux de 1 cm de diamètre, découper des tronçons de 2 cm que vous faites rouler sur la pointe d'une fourchette pour former des rayures. Réserver sur un plateau légèrement fariné.

Ciseler l'oignon et hacher l'ail.

Dans une cocotte à fond épais chauffer 2,5 cl d'huile d'olive, ajouter l'oignon et l'ail, le bouquet garni, la sarriette et le romarin. Faire rissoler 5 minutes à découvert et sans coloration.

Laver les courgettes sans les éplucher (si elles sont grosses et vert foncé, les zébrer*). Les couper en tranches épaisses et les faire revenir dans la cocotte à feu vif pendant 2 minutes, puis baisser le feu, couvrir d'un rond de papier sulfurisé et cuire 15 minutes à feu doux. Elles doivent rester un peu fermes.

Pendant ce temps, cuire les gnocchis. Mettre à bouillir 3 litres d'eau salée avec un filet d'huile d'olive, le thym, le laurier, la sauge et le vinaigre d'alcool. Pocher les gnocchis en trois ou quatre fois. Dès qu'ils remontent à la surface, les égoutter, les placer dans un poêlon contenant le beurre fondu et le basilic haché. Donner une ébullition en remuant le poêlon.

Verser dans un plat creux, disposer les courgettes tout autour, servir aussitôt.

TAJINE *de* LÉGUMES *au* COUSCOUS *de* PETIT ÉPEAUTRE

Le tajine est une spécialité marocaine qui se prépare avec de la viande.
La cuisson, douce et longue, se fait sur du charbon de bois.
Riche en épices, la cuisine marocaine est excellente. J'emprunte assez souvent
les poudres de zeste de citron ou d'orange ainsi que les citrons confits dans une saumure.
Comme pour toutes les recettes, je rappelle que les courgettes vert clair donneront
un meilleur résultat physique et organoleptique.
Le couscous de petit épeautre (produit de la région de Sisteron à privilégier)
peut être remplacé par un couscous de blé semi-complet ou complet.

PRÉPARATION

30 minutes

CUISSON

1 heure

Pour 4 personnes

MARCHÉ

400 g de courgettes
200 g d'oignons
200 g d'aubergines
200 g de fenouil
200 g de pommes de terre
50 g de céleri-branche
200 g de tomates
50 g d'olives noires dénoyautées
1 citron confit dessalé
1/2 cuil. à café de zeste de citron
 et d'orange en poudre
5 cl d'huile d'olive
1 cuil. à café de coriandre en poudre
1 pincée de safran

1/2 cuil. à café de cumin en poudre
1 pincée de cannelle
1 cuil. à soupe de coriandre fraîche
1 cuil. à soupe de persil
Sel, Hot Pepper

Pour le couscous

200 g de couscous de petit épeautre
1/4 de litre d'eau
15 g de miso d'orge
50 g de raisins secs
50 g de pignons torréfiés
2,5 cl d'huile d'olive
1 pincée de sel

Zébrer* les courgettes si nécessaire. Zébrer les aubergines. Monder* et épépiner les tomates. Éplucher les oignons et peler les pommes de terre. Couper les courgettes en biais sur 2 cm d'épaisseur.

Émincer finement les oignons, le fenouil, les aubergines, les pommes de terre et le céleri-branche. Concasser* les tomates.

Dans une cocotte à fond épais chauffer l'huile d'olive et verser tous les légumes émincés, bien mélanger et faire rissoler à feu vif 4 minutes en ajoutant toutes les épices, le citron confit coupé en deux et émincé, les olives noires entières, le persil et la coriandre hachés, du sel et le Hot Pepper.

Disposer dessus les tranches de courgette en les faisant se chevaucher, arroser d'un verre d'eau, couvrir d'un rond de papier sulfurisé et cuire à feu très doux pendant 1 heure.

Préparer le couscous. Amener à ébullition l'eau avec le miso et le sel.

Dans une cocotte à fond épais chauffer l'huile d'olive, verser la semoule de couscous, nacrer* pendant 2 minutes, ajouter les raisins secs et les pignons puis verser le bouillon, maintenir l'ébullition 1 minute, arrêter le feu, couvrir d'un rond de papier sulfurisé et d'un couvercle et laisser gonfler la semoule pendant 30 minutes. Égrainer à l'aide d'une fourchette la semoule de couscous.

Servir en accompagnement du tajine de légumes.

Concombre

Il appartient à la famille des cucurbitacées.
Originaire du nord-ouest de l'Inde, le concombre est cultivé dans l'Hindoustan
depuis plus de 3 000 ans. On en trouve en France dès le IXe siècle mais il gagne
ses lettres de noblesse au XVIIe siècle. Exploité sous abri dans le Potager du roi
à Versailles, il figure au menu de Louis XIV dès le mois d'avril.
Dans la cuisine classique, l'appellation Doria indique la présence de concombre.
Il existe un très grand nombre d'espèces.
Ce légume possède peu de matières nutritives.

TERRINE *de* CONCOMBRE *en* SALADE

Cette entrée très rafraîchissante se prépare la veille ou l'avant-veille,
ce qui permet d'organiser au mieux votre dîner.
La crème fleurette peut être remplacée par une crème de soja
ou une autre crème de céréales.
La cuisson peut se faire dans des moules individuels.

PRÉPARATION
30 minutes

REPOS
1 heure 15

CUISSON
8 à 10 heures

Pour 4 personnes

MARCHÉ
Pour la terrine
500 g de concombre
50 g d'échalotes
10 g de beurre
5 œufs
5 cl de vin blanc
10 cl de crème de soja
1 pincée de macis
1 cuil. à soupe de paprika doux
Sel, Hot Pepper

Pour la sauce
25 cl de crème fleurette
20 g d'échalotes
1 cuil. à café de jus de citron
1/2 cuil. à café de tamari
1 pincée de macis
Sel, Hot Pepper

Pour la présentation
1 concombre
4 radis
150 g de mesclun

Éplucher et ciseler les échalotes.

Dans une casserole, chauffer le beurre et y faire suer* les échalotes 2 à 3 minutes,
mouiller avec le vin blanc et faire réduire aux trois quarts sur feu moyen.

Éplucher et égrainer le concombre, l'émincer et l'ajouter dans la réduction, cuire à l'étouffée*
pendant 10 minutes sur feu doux.

Dans la cuve d'un mixeur réduire la préparation en une purée très fine. Ajouter la crème
de soja, les œufs, du sel, le Hot Pepper, le macis et le paprika, mixer à nouveau et rectifier
l'assaisonnement.

Beurrer un moule à terrine et y verser la préparation. Recouvrir la terrine d'un papier sulfurisé
et cuire au bain-marie 1 heure environ dans un four préchauffé à 160 °C (th. 5-6).

Au sortir du four, laisser refroidir et entreposer au réfrigérateur 8 à 10 heures afin de bien
démouler la terrine.

Préparer la sauce : dans un petit saladier mettre la crème, l'échalote, le macis, du sel,
le tamari, le jus de citron et le Hot Pepper. Fouetter 2 minutes et réserver dans une saucière.

Présenter une ou deux tranches de terrine, accompagnées d'un bouquet de mesclun,
de rondelles de radis et de concombre.

CRÈME *de* CONCOMBRE *au* YAOURT

L'été, nous préférons des potages frais ou glacés.
Cette recette pourra se servir chaude si on remplace le yaourt par de la crème
fraîche ou de la crème de soja.

PRÉPARATION

20 minutes

CUISSON

20 minutes

Pour 4 personnes

MARCHÉ

500 g de concombre
150 g de poireaux
60 g de beurre
60 g de farine
3/4 de litre d'eau
20 g de miso d'orge
200 g de yaourt
Sel, Hot Pepper

Pour la garniture

1 petit concombre
1/2 botte de ciboulette
4 branches d'aneth
Paprika

Éplucher et émincer les concombres. Laver et émincer finement le blanc et le vert des poireaux.

Dans une cocotte, chauffer le beurre et mettre à suer* les poireaux puis poudrer de farine,
bien mélanger et cuire 5 minutes à petit feu.

Verser l'eau et amener à ébullition avec un fouet. Assaisonner avec le miso, du sel
et le Hot Pepper. Dès qu'il y a ébullition ajouter le concombre et cuire à petit feu 15 minutes.

Mixer finement et passer au chinois-étamine. Mettre cette préparation à refroidir rapidement
afin de pouvoir y incorporer le yaourt puis rectifier l'assaisonnement.

Éplucher et détailler le petit concombre (sans les graines) en fine brunoise*.
La blanchir* 2 minutes dans de l'eau bouillante salée, rafraîchir aussitôt.

Émincer finement la ciboulette. Dans des assiettes glacées, répartir la crème, ajouter 1 cuillerée
à soupe de brunoise de concombre et de ciboulette ciselée, une branche d'aneth et une pincée
de paprika.

GOULASCH *de* CONCOMBRES *aux* BLINIS

Cette recette d'inspiration hongroise évoque également la Russie, où les blinis accompagnent traditionnellement le caviar.
Ce sont des petites crêpes à la farine de sarrasin de 4 cm de diamètre que l'on cuit dans des « poêles à blinis ».
Le paprika bio est étonnamment supérieur en qualité au paprika classique.

PRÉPARATION
40 minutes

REPOS
40 minutes

CUISSON
20 minutes

Pour 4 personnes

MARCHÉ
Pour les blinis

100 g de farine de sarrasin
80 g de farine de blé
15 g de levure de boulanger fraîche
1/4 de litre de lait
3 petits œufs
10 cl de crème fraîche
1 pincée de macis
1 pincée de sel, Hot Pepper

Pour le goulasch

300 g de concombre
100 g de champignons de Paris
150 g de blancs de poireaux
150 g de petits oignons
  ou gros oignons en mirepoix
100 g de poivrons rouges
250 g de seitan
80 g de graisse végétale
10 cl de vin blanc
1/4 de litre d'eau
5 g de paprika
10 g de miso d'orge
1 cuil. à soupe d'arrow-root
50 g de crème fraîche
Sel

Pour la décoration

1 petit concombre
1/2 bouquet de ciboulette

Préparer les blinis : mélanger les deux farines dans un saladier, faire une fontaine et y mettre les jaunes d'œufs, la levure diluée dans le lait tiède, le sel, le macis et le Hot Pepper. Couvrir le saladier d'un film alimentaire et mettre la pâte à lever à une température proche des 30 °C pendant 40 minutes environ.

Monter* les blancs en neige très ferme et les incorporer délicatement à la pâte. Monter la crème fraîche et l'incorporer à la pâte.

Faire cuire les blinis dans une poêle à blinis ou une poêle à crêpes ; dans ce cas, couper en deux ou en quatre.

Préparer le goulasch : éplucher les oignons et les concombre, couper ce dernier en deux, l'égrainer et le tailler en bâtonnets de 3 cm de long sur 1 cm de côté.

Détailler en petite mirepoix* les oignons, les poireaux et le poivron épépiné. Trier, laver et couper en quatre les champignons. Détailler le seitan de la grosseur des concombres.

Dans une poêle faire rissoler vivement le seitan avec 40 g de graisse végétale pendant 3 à 4 minutes puis le retirer avec une écumoire, verser les champignons à la place, les faire sauter vivement pendant 2 à 3 minutes et les débarrasser avec le seitan.

Blanchir* les concombres 3 minutes dans de l'eau bouillante, les égoutter et les rafraîchir.

Dans une cocotte à fond épais, faire rissoler les oignons dans la graisse restante pendant 5 minutes. Ajouter les poireaux et le poivron, faire rissoler à découvert 3 minutes. Ajouter le paprika, le seitan et les champignons, mélanger et déglacer* avec le vin blanc puis ajouter le miso dilué avec l'eau, amener à ébullition et lier avec l'arrow-root dilué dans très peu de vin blanc. Ajouter les concombres, couvrir d'un rond de papier sulfurisé et cuire à petit feu 7 minutes puis verser la crème, rectifier l'assaisonnement et prolonger la cuisson de 5 minutes.

Pour servir, canneler* le petit concombre, l'émincer en tranches de 2 cm d'épaisseur puis le blanchir 3 minutes dans de l'eau bouillante salée.

Disposer les blinis et les tranches de concombre autour de l'assiette, dresser les légumes et la sauce au milieu et parsemer de ciboulette émincée.

CONCOMBRE *à la* SAUCE MORNAY *et* KACHA

La sauce Mornay est un grand classique. C'est un dérivé de la sauce Béchamel,
dans laquelle on ajoute du fromage râpé et des jaunes d'œufs.
Le kacha est une céréale : c'est du sarrasin torréfié, de cuisson très rapide.

PRÉPARATION

20 minutes

CUISSON

40 à 45 minutes

Pour 4 personnes

MARCHÉ

600 g de concombres
200 g d'oignons
300 g de kacha
40 g de beurre
40 g de farine
1/2 litre de lait
2 jaunes d'œufs
50 g de gruyère râpé
   dont une partie
   pour le gratin

1 pincée de macis
30 cl d'eau
1 cuil. à café de miso d'orge
2,5 cl d'huile d'olive
1 cuil. à soupe de paprika
Sel, Hot Pepper

Éplucher les concombres, les couper en deux dans le sens de la longueur et retirer les graines. Les recouper en deux dans le sens de la longueur et tronçonner des morceaux de 2 cm. Ciseler finement les oignons.

Dans une casserole à fond épais mettre à fondre le beurre, y ajouter la farine et cuire le roux* 5 à 6 minutes sans coloration.

Faire bouillir le lait, le verser petit à petit sur le roux en mélangeant avec un fouet, bien lisser la sauce. Assaisonner de sel, de macis et de Hot Pepper et cuire 15 minutes à petit feu.

Blanchir* 5 minutes les concombres dans de l'eau bouillante salée. Égoutter.

Quand la sauce est cuite, ajouter le gruyère râpé et les jaunes d'œufs, la passer au chinois-étamine et y incorporer les concombres. Vérifier l'assaisonnement et cuire 3 minutes à feu très doux en remuant de temps en temps.

Verser dans un plat à gratin beurré, saupoudrer de gruyère râpé et gratiner au four préchauffé à 180 °C (th. 6) pendant 15 à 20 minutes.

Préparer le kacha : dans une cocotte à fond épais chauffer l'huile d'olive et y faire rissoler les oignons sans coloration pendant 5 minutes. Ajouter le kacha, nacrer* la céréale, ajouter le paprika et mélanger 1 minute. Mouiller avec le miso dilué dans l'eau bouillante. Assaisonner de sel, amener à ébullition puis baisser aussitôt le feu, couvrir d'un rond de papier sulfurisé, cuire 5 minutes à feu très doux puis arrêter le feu et laisser reposer 20 minutes sans y toucher.

Égrainer le kacha et servir en accompagnement des concombres à la sauce Mornay.

ROULADE *de* CONCOMBRE *aux* QUENELLES *de* SEMOULE

C'est en pensant aux quenelles lyonnaises que j'ai composé cette recette.
La base de toute quenelle est une panade, la préparation première pour réaliser
une pâte à choux.

PRÉPARATION
40 minutes
CUISSON
40 minutes
Pour 4 personnes

MARCHÉ
2 concombres

Pour la panade
100 g de beurre
100 g de farine type 65
50 g de semoule de blé très fine
3 blancs d'œufs
1 pincée de quatre-épices
1 pincée de macis
Sel, Hot Pepper

Pour la sauce
80 g d'oignons émincés
100 g de tomates bien mûres
1/4 de litre d'eau
1/2 litre de lait
40 g de beurre
40 g de farine
1 cuil. à soupe de concentré de tomate
1 cuil. à soupe de miso d'orge
20 g de parmesan râpé
1 cuil. à café de sucre
Sel, Hot Pepper

Éplucher les concombres et détailler des tranches de 2 mm dans le sens de la longueur.
Plonger 2 minutes les lanières dans de l'eau bouillante salée puis dans une eau glacée.
Égoutter et sécher.

Préparer la panade dans une casserole, porter à ébullition l'eau avec le beurre, saler et ajouter
le macis. Dès que le beurre est fondu, baisser le feu et verser d'un seul coup la farine, mélanger
énergiquement avec une spatule en bois, monter le feu : la pâte doit se détacher de la casserole.
Ajouter la semoule, bien mélanger et débarrasser dans une calotte ou un saladier. Incorporer
les blancs petit à petit, puis le Hot Pepper et le quatre-épices.

Garnir une poche à douille avec la pâte, en déposer un trait sur chaque lanière de concombre
puis enrouler dans cette dernière en partant d'une de ses extrémités.

Ranger chaque roulade dans une plaque creuse de cuisson (ou un plat creux) préalablement
beurrée (pour faciliter l'opération, vous aider d'une fourchette).

Recouvrir délicatement les roulades d'eau bouillante salée parfumée au miso. Chauffer à feu
doux afin de pocher les roulades pendant 10 minutes (il ne doit pas y avoir d'ébullition),
les retirer avec une écumoire et les plonger dans une eau glacée.

Pour la sauce préparer un roux* avec le beurre et la farine, sans coloration. Après 5 minutes
de cuisson, verser en fouettant le lait bouillant, bien mélanger, il ne doit pas y avoir de grumeaux.
Ajouter les oignons, les tomates émincées avec la peau et les pépins et le concentré
de tomate. Amener à ébullition, ajouter du sel, le sucre et le Hot Pepper. Cuire 20 minutes
à feu très doux puis mixer le tout et passer au chinois-étamine. Rectifier l'assaisonnement.

Égoutter les roulades, les disposer dans un plat à gratin préalablement beurré, napper de sauce,
saupoudrer de parmesan et cuire 20 minutes au four préchauffé à 180 °C (th. 6).

CONCOMBRES FARCIS
au FROMAGE BLANC

Cuire le concombre n'est pas dans la tradition de la cuisine française.
Pourtant sa cuisson révèle la finesse surprenante de sa chair.
Ce plat pourra être accompagné de coquillettes ou d'un riz pilaf ou,
encore mieux, de pommes de terre en robe des champs.

PRÉPARATION

20 minutes

CUISSON

40 minutes

Pour 4 personnes

MARCHÉ

4 concombres
100 g d'échalotes
200 g de blancs de poireaux
50 g de beurre + un peu pour le plat
25 cl de vin blanc
250 g de champignons de Paris
30 cl de crème fraîche
200 g de fromage blanc pressé
150 g de pain semi-complet

2 œufs
2 cuil. à soupe de persil haché
2 cuil. à soupe de cerfeuil haché
Chapelure
1 cuil. à soupe de paprika doux
Sel, Hot Pepper

Peler les concombres, les couper en deux dans le sens de la longueur et retirer les graines à l'aide d'une petite cuillère. Les faire blanchir* 3 minutes dans de l'eau bouillante salée puis les plonger dans une eau glacée et les égoutter.

Peler et ciseler finement les échalotes. Émincer en fine paysanne* le poireau.
Trier, laver et concasser les champignons. Mixer le pain.

Dans une cocotte, faire fondre le beurre et y mettre à suer* les échalotes et le poireau, cuire à découvert 3 à 4 minutes en remuant de temps en temps. Mouiller avec le vin blanc et faire réduire de moitié puis ajouter les champignons. Laisser évaporer à découvert toute l'eau de végétation (la préparation doit être sèche).

Hors du feu, ajouter le fromage blanc, le pain mixé, les œufs, les herbes, du sel, le paprika et le Hot Pepper.

Garnir les concombres de cette préparation à l'aide d'une poche à douille. Les déposer dans un plat à gratin beurré. Saupoudrer de chapelure et cuire au four préchauffé à 180 °C (th. 6) pendant 30 à 35 minutes.

10 minutes avant la fin de cuisson, napper les concombres avec la crème fraîche et remettre au four. Servir très chaud.

CONCOMBRE *en* CHUTNEY *de* MANGUE *et* GALETTE *de* RIZ

Le chutney est un condiment anglais d'origine indienne que l'on trouve tout prêt dans le commerce.
Tous les fruits peuvent se prêter à la préparation du chutney.

PRÉPARATION
20 minutes

CUISSON
30 minutes

Pour 4 personnes

MARCHÉ
400 g de concombres
1 grosse mangue
150 g d'oignons
80 g de raisins secs
80 g d'abricots secs
5 cl de vinaigre de cidre
3 cuil. à soupe de miel
4 cuil. à soupe d'huile d'olive
1/2 cuil. à café de gingembre
    en poudre
1/2 cuil. à café de moutarde
1/2 cuil. à café de curcuma
1/2 cuil. à café de curry
1 bâton de citronnelle
1/2 cuil. à café de gingembre
    frais râpé
10 cl de crème de soja
Sel

Pour la galette de riz

100 g de riz long semi-complet
150 g de courgettes
3 gousses d'ail finement hachées
4 œufs
4 cuil. à soupe d'huile d'olive
Sel, Hot Pepper

Éplucher les concombres, les couper en deux dans le sens de la longueur et retirer les graines. Recouper une fois dans la longueur et détailler des tronçons de 2 cm. Plonger les tronçons dans de l'eau bouillante salée pendant 3 minutes, les rafraîchir dans une eau glacée et égoutter.

Détailler les oignons de la grosseur des raisins secs. Couper en quatre les abricots secs. Éplucher et détailler la mangue en cubes de 1 cm de côté.

Réunir le gingembre en poudre, la moutarde, le curcuma et le curry. Préparer 1/2 cuillerée à café de gingembre frais râpé.

Dans une cocotte à fond épais, chauffer 4 cuillerées à soupe d'huile d'olive, y faire rissoler les oignons jusqu'à légère coloration, verser le miel et cuire 5 minutes. Ajouter la mangue, les raisins et les abricots, bien mélanger, verser les épices, saler et cuire 3 à 4 minutes à petit feu. Remonter le feu, déglacer* avec le vinaigre, bien mélanger et ajouter les concombres égouttés. Cuire 15 minutes à découvert sur feu doux et incorporer la crème de soja, donner une ébullition et retirer du feu.

Préparer la galette de riz : cuire le riz à l'eau dans une eau bouillante salée pendant 25 à 30 minutes. Égoutter, et rafraîchir.

Détailler en brunoise* les courgettes.

Chauffer 2 cuillerées à soupe d'huile d'olive dans une poêle, y cuire les courgettes 3 à 4 minutes en mélangeant, puis ajouter l'ail, bien mélanger 2 minutes (attention l'ail ne doit pas colorer). Retirer la poêle du feu.

Battre les œufs en omelette, incorporer le riz bien égoutté puis le contenu de la poêle. Assaisonner de sel et de Hot Pepper. Bien mélanger avec une fourchette.

Chauffer la poêle avec 2 cuillerées à soupe d'huile d'olive, verser la préparation et cuire sur feu vif en mélangeant avec une spatule. Dès qu'une coagulation se forme, arrêter de mélanger, cuire 3 à 4 minutes puis retourner la galette de riz et cuire l'autre face sur feu doux.

Découper la galette en portions, servir avec une louche de chutney et des bâtonnets de citronnelle.

GÂTEAU *de* CONCOMBRE *au* SARRASIN

Le sarrasin et le concombre s'associent parfaitement.
Nous les retrouvons beaucoup dans la cuisine d'Europe centrale.

PRÉPARATION
20 minutes

CUISSON
35 à 40 minutes

Pour 4 personnes

Sans gluten
—
VEGAN

MARCHÉ
2 concombres
80 g de blanc de poireau
80 g d'oignons
50 g de poivron rouge
80 g de courgette
80 g d'aubergine
100 g de tomate
150 g de graines de sarrasin
25 cl de crème de riz
1 cuil. à café de sucre
Chapelure
4 cuil. à soupe d'huile d'olive
1/2 cuil. à café d'herbes de Provence
Sel, Hot Pepper

Pour la sauce au poivron
150 g de poivron rouge
50 g d'oignon
Le jus de 1/2 citron
2 cuil. à soupe d'huile d'olive + 5 cl
1 cuil. à café de coriandre en poudre
1/2 cuil. à café de sucre
Sel, Hot Pepper

Éplucher les concombres et les tailler dans la longueur, à l'aide d'une mandoline, sur une épaisseur de 3 mm. Plonger les lanières 2 minutes dans de l'eau bouillante salée, puis les rafraîchir dans une eau glacée et les égoutter.

Beurrer et chemiser de chapelure quatre ramequins.

Détailler en brunoise* l'oignon, le poivron, la courgette et l'aubergine préalablement lavées et épluchées. Monder, épépiner et détailler en dés les tomates. Émincer en paysanne* le poireau.

Dans une cocotte à fond épais, chauffer l'huile d'olive et verser tous les légumes sauf la tomate. Faire rissoler sans coloration 4 à 5 minutes, ajouter le sarrasin, nacrer*, ajouter la tomate et 10 cl d'eau. Saler, ajouter le Hot Pepper, le sucre et les herbes de Provence. Amener à ébullition, couvrir d'un rond de papier sulfurisé et cuire 10 minutes à feu très doux.

Verser la crème de riz, monter le feu et mélanger avec une spatule jusqu'à la reprise de l'ébullition. Rectifier l'assaisonnement.

Tapisser de lanières de concombre les ramequins en laissant retomber les extrémités.

Garnir l'intérieur avec la préparation au sarrasin, rabattre les extrémités des lanières sur le dessus. Cuire au four préchauffé à 160 °C (th. 5-6) pendant 20 à 25 minutes.

Préparer la sauce au poivron : cuire à l'étouffée* avec 2 cuillerées à soupe d'huile d'olive les oignons et le poivron rouge, mixer afin d'émulsionner la préparation avec 5 cl d'huile d'olive, le jus de citron et la coriandre. Saler, sucrer et ajouter le Hot Pepper.

Laisser reposer le gâteau de concombre 10 à 15 minutes avant de le démouler. Napper avec la sauce au poivron.

CLAFOUTIS *de* CONCOMBRE
et de COURGETTES

Spécialité du Limousin, le clafoutis est une sorte de flan qui se fait généralement avec des fruits, le plus souvent des cerises.

PRÉPARATION

20 minutes

CUISSON

40 à 45 minutes

Pour 4 personnes

MARCHÉ

200 g de poireaux (blanc et vert)
250 g de concombres
250 g de courgettes
50 g de farine de sarrasin
50 g de farine de blé type 65
3 œufs
1/2 litre de lait
1/4 de litre de crème liquide
2 cuil. à soupe d'huile d'olive
1 pincée de macis
1 pincée de sel, Hot Pepper

Détailler en paysanne* le poireau.

Éplucher les concombres, les couper en deux dans le sens de la longueur et retirer les graines, les recouper en deux dans le sens de la longueur et les émincer finement.

Éplucher les courgettes en ôtant une lanière de peau sur deux, les détailler en quatre dans le sens de la longueur et les émincer finement.

Dans une cocotte à fond épais, chauffer l'huile d'olive et faire suer* 5 à 6 minutes les poireaux puis ajouter les concombres et les courgettes, bien mélanger couvrir d'un rond de papier sulfurisé et cuire 5 minutes à feu doux.

Dans un saladier, mélanger les farines, casser les œufs, ajouter le sel, le macis et le Hot Pepper. Verser la crème en mélangeant avec un fouet, en veillant à ne pas faire de grumeaux. Continuer avec le lait, bien mélanger.

Verser dans le saladier en incorporant les légumes de la cocotte (on peut enrichir cette préparation avec 100 g de fromage de chèvre frais découpé en petits morceaux). Rectifier l'assaisonnement.

Garnir un plat à gratin beurré de la préparation. Cuire au four préchauffé à 180 °C (th. 6) pendant 30 à 35 minutes.

CONCOMBRE *à la* PURÉE *de* BETTERAVES

*La betterave rouge crue est une excellente crudité peu consommée
qui renferme pourtant de nombreuses vitamines dont la vitamine B12.
Souvent associée à la mâche, l'hiver, elle s'harmonise très bien avec le concombre, l'été.
Travaillez la betterave avec des gants. À savoir : le jus de citron élimine
rapidement les traces de jus de betterave.*

PRÉPARATION
20 minutes

CUISSON
30 minutes

Pour 4 personnes

MARCHÉ
3 concombres
100 g d'oignons
300 g de betteraves crues
2 cébettes
5 cl de vinaigre de vin rouge
7,5 cl d'huile d'olive
Sel, Hot Pepper

Sans gluten
—
VEGAN

Canneler* les concombres et les couper en tronçons de 3 cm (compter trois à quatre tronçons
par personne). Les creuser avec une cuillère à légumes afin de retirer toutes les graines.

Dans une eau bouillante salée, cuire les concombres 3 minutes à vive ébullition.
Les retirer et les plonger dans une eau glacée puis les égoutter sur une grille.

Éplucher et émincer les oignons. Éplucher et émincer les betteraves crues.

Dans une cocotte à fond épais, chauffer 2,5 cl d'huile d'olive et y faire rissoler les oignons
avec une légère coloration puis ajouter les betteraves et un demi-verre d'eau, assaisonner
de sel et de Hot Pepper, couvrir d'un rond de papier sulfurisé et cuire à petit feu pendant
30 minutes (il ne doit plus rester de liquide).

Débarrasser dans la cuve d'un mixeur en y ajoutant les cébettes émincées, mixer afin d'obtenir
une purée très fine.

Émulsionner en versant 5 cl d'huile d'olive et le vinaigre, rectifier l'assaisonnement
(si la consistance est trop liquide, ajouter une ou deux poignées de chapelure). Mixer finement.

Ranger harmonieusement les tronçons de concombre et les garnir généreusement
à l'aide d'une poche à douille de la purée de betteraves.

Présenter avec un assortiment de graines germées.

1.

2.

3.

Portfolio

1. poivron
2. fenouil
3. navet
4. potimarron
5. chou vert frisé
6. pomme de terre

4.

5.

6.

c'est
*l'*AUTOMNE

Poivron

De la famille des solanacées, le poivron est en réalité un piment doux.
De nombreuses variétés sont utilisées comme condiment, comme le piment
frutescent (poivre de Cayenne) en Amérique du Sud et le piment cerise ou
le piment oiseau aux Antilles.
Les poivrons que l'on utilise en cuisine sont cultivés autour du Bassin méditerranéen.
Les jaunes et les rouges sont les plus parfumés. Le poivron vert est un piment qui
n'est pas arrivé à maturité.
Le poivron est très riche en vitamine C (cinq à six fois plus que le citron !)
et en vitamine A.

Pour ôter la peau des poivrons, trois façons de procéder : les éplucher avec un économe ;
les plonger quelques minutes dans de l'eau bouillante ; les passer 30 minutes au four préchauffé
à 200 °C (th. 6-7) avec un filet d'huile d'olive en les tournant de temps en temps.

POIS CHICHES *aux* PIMENTS DOUX et à la MENTHE

Le pois chiche est la reine des légumineuses autour de la Méditerranée.
Il sera toujours plus goûteux servi chaud ou tiède.

PRÉPARATION
30 minutes

CUISSON
1 heure

Pour 4 personnes

Sans gluten
—
VEGAN

MARCHÉ
Pour la cuisson des pois chiches

200 g de pois chiches
1 oignon
1 carotte
1/2 poireau
1 bouquet garni
1 petite branche de sauge
2 gousses d'ail
Gros sel

Pour la sauce

1 gros poivron rouge
1 gros poivron jaune
1 gousse d'ail
1 cébette
Le jus de 1 citron
3 cuil. à soupe d'huile d'olive
1 cuil. à café d'herbes de Provence
1 cuil. à soupe de coriandre
  en poudre
1 cuil. à café de cumin
  en poudre
1 cuil. à café de menthe
2 cuil. à café de tamari
Sel, Hot Pepper

La veille, mettre les pois chiches à tremper.

Le lendemain, disposer les poivrons sur une plaque à rôtir, les arroser de 1 cuillerée à soupe d'huile d'olive et cuire au four préchauffé à 180 °C (th. 6) pendant 20 minutes en les tournant de temps en temps.

À la sortie du four, couvrir d'un film alimentaire et laisser refroidir 30 minutes, puis les éplucher, retirer les graines et les détailler en brunoise*.

Porter à ébullition une casserole d'eau froide contenant les pois chiches. Dès l'ébullition, retirer l'écume, ajouter l'oignon, la carotte, le demi-poireau, le bouquet garni, l'ail et la sauge, et cuire à feu moyen pendant 1 heure environ. Saler aux trois quarts de la cuisson.

Retirer les légumes, le bouquet garni et la sauge et égoutter les pois chiches.

Préparer la sauce : hacher finement l'ail et émincer finement la cébette. Chauffer 2 cuillerées à soupe d'huile d'olive, retirer du feu et y infuser l'ail, la cébette, la coriandre et le cumin.

Ajouter du sel, le jus de citron, le tamari, du Hot Pepper, les herbes de Provence, la menthe hachée et les brunoises de poivron.

Ajouter les pois chiches bien égouttés, rectifier l'assaisonnement.

Servir cette préparation tiède avec une petite salade et des feuilles de menthe.

POIVRONS FARCIS *à la* RUSSIENNE

Délicieux et rafraîchissant, ce plat est à déguster froid mais non glacé.
Vous pouvez le préparer la veille.

PRÉPARATION

35 minutes

CUISSON

1 heure

Pour 4 personnes

MARCHÉ

3 gros poivrons verts
200 g d'oseille
1 kg de tomates bien mûres
2 gros oignons
1 petit bulbe de fenouil
1 citron
100 g de riz long semi-complet
10 cl d'huile d'olive
Sel, poivre

Monder* les tomates. Couper deux poivrons en deux, ôter les pépins. Les blanchir* 5 minutes à l'eau bouillante salée, puis les rafraîchir sous une eau glacée et les égoutter.

Disposer les poivrons dans un plat à gratin huilé.

Préparer la farce : ciseler les oignons, couper en brunoise* le dernier poivron et émincer en paysanne* le fenouil.

Chauffer l'huile dans une cocotte, et cuire les oignons et la brunoise de poivron pendant 10 minutes à feu doux et à découvert.

Ajouter le fenouil, couvrir d'un rond de papier sulfurisé et prolonger la cuisson de 10 minutes.

Pendant ce temps, cuire le riz à l'eau bouillante : il doit rester *al dente*.

Épépiner et hacher deux tomates et les ajouter à la farce avec le riz égoutté. Mélanger bien, cuire 2 à 3 minutes à feu doux, assaisonner et retirer du feu.

Ajouter l'oseille hachée, bien mélanger. Garnir les poivrons avec cette farce.

Passer le reste des tomates au moulin à légumes, grille fine. Ajouter le jus du citron, saler et poivrer.

Verser la purée sur les poivrons et cuire au four préchauffé à 180 °C (th. 6) pendant 40 minutes. À mi-cuisson, couvrir le plat avec du papier sulfurisé beurré.

Servir ces poivrons froids, entourés d'une chiffonnade d'oseille crue.

MILLEFEUILLE *aux* POIVRONS *et* BRUNOISE *de* RATATOUILLE *au* BASILIC

Comme sa version sucrée, ce millefeuille est composé de bandes de feuilletage cuites à blanc et d'une crème pâtissière, ici aux poivrons. Cette recette demande à être dégustée aussitôt réalisée.

PRÉPARATION

40 minutes

CUISSON

45 minutes

Pour 4 personnes

MARCHÉ

150 g de pâte feuilletée
4 branches de basilic

Pour la crème pâtissière

1 œuf + 2 jaunes
40 g de farine tamisée
1/4 de litre de lait
2 poivrons rouges
2 poivrons jaunes
1 pincée de macis
Sel, Hot Pepper

Pour la ratatouille

150 g de courgettes
150 g d'aubergines
1 grosse tomate
1 cuil. à soupe de basilic
Sel, poivre du moulin

Cuire les quatre poivrons au four préchauffé à 180 °C (th. 6) pendant 20 minutes. Les éplucher, les épépiner puis les couper en cubes de 1 cm de côté.

Détailler dans la pâte feuilletée trois rectangles de 18 x 8 cm sur 2 mm d'épaisseur. Poser les rectangles sur une plaque mouillée, piquer avec une fourchette toutes les surfaces et cuire au four à 180 °C (th. 6) pendant 25 à 30 minutes.

Préparer la crème pâtissière : mélanger à l'aide d'un fouet l'œuf entier, les jaunes et la farine dans une casserole. Faire bouillir le lait et le verser petit à petit sur le mélange œuf-farine puis porter à ébullition. Continuer de mélanger avec le fouet pendant 3 à 4 minutes.

Retirer du feu, puis incorporer les cubes de poivron (en prélevant 150 g pour la ratatouille) à l'aide d'une spatule en bois, assaisonner de sel, de macis et de Hot Pepper et réserver.

Préparer la ratatouille : laver et essuyer tous les légumes. Les couper en petits cubes.

Dans une poêle bien chaude faire rissoler vivement les aubergines pendant 3 minutes, les retirer puis faire de même avec les courgettes. Réunir dans une petite cocotte les aubergines et les courgettes, ajouter les cubes de poivron et la tomate. Saler, poivrer et cuire à feu moyen pendant 4 minutes, ajouter le basilic haché.

Poser un rectangle de pâte sur le plan de travail, y étaler la moitié de la crème pâtissière aux poivrons, recouvrir d'un autre rectangle, répartir le reste de crème et finir de monter le millefeuille avec le dernier rectangle.

Poser par-dessus la plaque à pâtisserie et « écraser » uniformément le millefeuille afin de souder et de stabiliser à la découpe les rectangles de feuilletage.

Détailler quatre portions, servir avec un bouquet de basilic et la ratatouille.

DÉLICE *de* POIVRONS
et TARTELETTES *de* PURÉES *de* POIVRON

Quand on cuisine le poivron vert, il faut toujours assaisonner avec un peu de sucre pour enlever ce côté âcre que n'ont pas les poivrons rouges ou jaunes.

PRÉPARATION
35 minutes

CUISSON
1 heure
Pour 4 personnes

MARCHÉ
Pour le délice de poivrons

400 g de poivrons rouges
  ou jaunes
80 g d'oignons
2 gousses d'ail
2 œufs
1 cuil. à soupe d'huile d'olive
Sel, Hot Pepper

Pour les tartelettes

125 g de farine
60 g de beurre
1 pincée de sel
1 petit œuf

Pour les purées

1 poivron vert
1 poivron jaune
1 poivron rouge
3 x 80 g d'oignons
3 x 1 gousse d'ail
1 cuil. à café de sucre
3 cuil. à soupe d'huile d'olive
3 x 1 pincée d'herbes de
  Provence
3 x 1 pincée de coriandre
  en poudre
3 x 1 cuil. à soupe de mie de pain
Sel, Hot Pepper

Pour la crème d'amande

50 g de crème d'amande
1 cuil. à café de jus de citron
1/2 cuil. à café de tamari
Sel

Réaliser le délice de poivrons : ouvrir les poivrons, les épépiner et les détailler en mirepoix*. Émincer l'oignon et écraser l'ail.

Dans une cocotte, chauffer l'huile d'olive, faire rissoler l'oignon et l'ail pendant 3 minutes sans coloration, ajouter les poivrons, couvrir d'un rond de papier sulfurisé et cuire 20 minutes à feu doux.

Hors du feu, transvaser la préparation dans un petit saladier et mixer en incorporant les œufs, rectifier l'assaisonnement en sel et Hot Pepper.

Passer la préparation au chinois-étamine et garnir des ramequins préalablement huilés. Cuire au four préchauffé à 160 °C (th. 5-6) pendant 30 à 35 minutes, au bain-marie.

Pour les tartelettes, réaliser une pâte brisée : sabler* la farine, le beurre et le sel dans un saladier puis incorporer l'œuf en pétrissant la pâte. Abaisser* la pâte et foncer* douze moules à tartelettes. Les cuire à blanc au four à 170 °C (th. 5-6) pendant 15 minutes.

Réaliser les trois purées : détailler les poivrons en mirepoix* et émincer les oignons. Dans chacune des trois casseroles chauffer 1 cuillerée à soupe d'huile d'olive et faire rissoler 80 g d'oignons avec une gousse d'ail pendant 3 minutes sans coloration, assaisonner de sel, de Hot Pepper, de coriandre et d'herbes de Provence.

Répartir les poivrons par couleur dans chacune des casseroles, poser un rond de papier sulfurisé et cuire 20 à 25 minutes à feu doux.

Mixer chaque poivron en liant la purée avec 1 cuillerée à soupe de mie de pain. Ajouter le sucre dans la purée de poivron vert.

Garnir quatre tartelettes de chaque variété de poivrons.

Pour la crème, faire chauffer la crème d'amande avec le sel, le jus de citron et le tamari (si la crème d'amande est trop épaisse, ajouter 2 à 3 cuillerées à soupe d'eau chaude).

Démouler un délice de poivron au centre de chaque assiette, disposer en étoile trois tartelettes de couleur différente et entourer le délice d'un cordon de crème d'amande.

DÉLICE *de* POIVRONS
et TARTELETTES *de* PURÉES *de* POIVRON

Quand on cuisine le poivron vert, il faut toujours assaisonner avec un peu de sucre pour enlever ce côté âcre que n'ont pas les poivrons rouges ou jaunes.

PRÉPARATION
35 minutes

CUISSON
1 heure
Pour 4 personnes

MARCHÉ
Pour le délice de poivrons

400 g de poivrons rouges
    ou jaunes
80 g d'oignons
2 gousses d'ail
2 œufs
1 cuil. à soupe d'huile d'olive
Sel, Hot Pepper

Pour les tartelettes

125 g de farine
60 g de beurre
1 pincée de sel
1 petit œuf

Pour les purées

1 poivron vert
1 poivron jaune
1 poivron rouge
3 x 80 g d'oignons
3 x 1 gousse d'ail
1 cuil. à café de sucre
3 cuil. à soupe d'huile d'olive
3 x 1 pincée d'herbes de
    Provence
3 x 1 pincée de coriandre
    en poudre
3 x 1 cuil. à soupe de mie de pain
Sel, Hot Pepper

Pour la crème d'amande

50 g de crème d'amande
1 cuil. à café de jus de citron
1/2 cuil. à café de tamari
Sel

Réaliser le délice de poivrons : ouvrir les poivrons, les épépiner et les détailler en mirepoix*. Émincer l'oignon et écraser l'ail.

Dans une cocotte, chauffer l'huile d'olive, faire rissoler l'oignon et l'ail pendant 3 minutes sans coloration, ajouter les poivrons, couvrir d'un rond de papier sulfurisé et cuire 20 minutes à feu doux.

Hors du feu, transvaser la préparation dans un petit saladier et mixer en incorporant les œufs, rectifier l'assaisonnement en sel et Hot Pepper.

Passer la préparation au chinois-étamine et garnir des ramequins préalablement huilés. Cuire au four préchauffé à 160 °C (th. 5-6) pendant 30 à 35 minutes, au bain-marie.

Pour les tartelettes, réaliser une pâte brisée : sabler* la farine, le beurre et le sel dans un saladier puis incorporer l'œuf en pétrissant la pâte. Abaisser* la pâte et foncer* douze moules à tartelettes. Les cuire à blanc au four à 170 °C (th. 5-6) pendant 15 minutes.

Réaliser les trois purées : détailler les poivrons en mirepoix* et émincer les oignons. Dans chacune des trois casseroles chauffer 1 cuillerée à soupe d'huile d'olive et faire rissoler 80 g d'oignons avec une gousse d'ail pendant 3 minutes sans coloration, assaisonner de sel, de Hot Pepper, de coriandre et d'herbes de Provence.

Répartir les poivrons par couleur dans chacune des casseroles, poser un rond de papier sulfurisé et cuire 20 à 25 minutes à feu doux.

Mixer chaque poivron en liant la purée avec 1 cuillerée à soupe de mie de pain. Ajouter le sucre dans la purée de poivron vert.

Garnir quatre tartelettes de chaque variété de poivrons.

Pour la crème, faire chauffer la crème d'amande avec le sel, le jus de citron et le tamari (si la crème d'amande est trop épaisse, ajouter 2 à 3 cuillerées à soupe d'eau chaude).

Démouler un délice de poivron au centre de chaque assiette, disposer en étoile trois tartelettes de couleur différente et entourer le délice d'un cordon de crème d'amande.

COUSSINETS *de* BLETTES *aux* POIVRONS, BOULGOUR *aux* COURGETTES

Toutes les feuilles peuvent se farcir, de la feuille de maïs à la feuille de laitue.
La feuille de blette s'y prête très bien.

PRÉPARATION
35 minutes
CUISSON
50 minutes
Pour 4 personnes

MARCHÉ
1 botte de blettes
100 g d'oignons
400 g de poivrons rouges
2 gousses d'ail
1 pincée de thym
1 pincée de sarriette
1 feuille de laurier
100 à 150 g de mie de pain
  ou de chapelure
2 cuil. à soupe d'huile d'olive
Sel, Hot Pepper

Pour le boulgour
150 g de poireaux
200 g de courgettes
200 g de boulgour
2 cuil. à soupe d'huile d'olive
1/2 cuil. à café de miso
Sel, Hot Pepper

VEGAN

Éplucher et tailler les oignons en mirepoix*. Couper en deux les poivrons, retirer les graines et détailler également en mirepoix.

Chauffer l'huile d'olive dans une cocotte, y faire rissoler les oignons 4 à 5 minutes sans coloration avec l'ail, le thym, la sarriette et la feuille de laurier. Ajouter les poivrons, assaisonner de sel et de Hot Pepper, couvrir d'un rond de papier sulfurisé et cuire à l'étouffée* pendant 30 à 40 minutes à feu doux.

Retirer la feuille de laurier, mixer finement la compotée de poivrons puis incorporer de la mie de pain jusqu'à la consistance d'une pâte souple. Rectifier l'assaisonnement.

Couper la partie verte des blettes au ras des côtes blanches. Plonger les feuilles vertes dans de l'eau bouillante salée pendant 3 minutes, puis les rafraîchir sous une eau glacée. Laisser les feuilles dans l'eau pour éviter qu'elles se déchirent.

Pour le boulgour, émincer en paysanne* les poireaux et les courgettes.

Dans une cocotte faire suer* dans l'huile d'olive les poireaux et les courgettes. Maintenir à feu vif pendant 5 minutes en remuant de temps en temps.

Ajouter le boulgour, mélanger, nacrer* 2 minutes puis mouiller avec 30 cl d'eau salée bouillante parfumée au miso. Amener à ébullition, rectifier l'assaisonnement, couvrir d'un rond de papier sulfurisé et cuire 10 minutes à feu doux.

Retirer du feu et laisser gonfler la céréale pendant 20 à 25 minutes sans y toucher.

Poser à plat sur le plan de travail chaque feuille de blette, retirer la partie blanche très ferme du milieu si nécessaire. Garnir de 2 à 3 cuillerées à soupe de farce aux poivrons et plier en quatre.

Disposer côte à côte les feuilles en forme de coussinets dans une plaque huilée. Verser un filet d'huile d'olive et saupoudrer d'un peu de thym. Cuire au four préchauffé à 180 °C (th. 6) pendant 5 minutes.

Mélanger le boulgour avec une fourchette. Disposer deux coussinets de blettes au centre de chaque assiette, entourer de boulgour aux courgettes.

FRICOT *de* PIMENTS DOUX *et* SPÄTZLES

Le « fricot » est un ragoût rustique. L'Alsace se reconnaît dans les Spätzles mais un peu moins dans le poivron… Si vous n'avez pas le temps de confectionner les Spätzles, des coquillettes ou des nouilles conviendront très bien.

PRÉPARATION
35 minutes

CUISSON
50 minutes

Pour 4 personnes

MARCHÉ
1 poivron rouge
1 poivron jaune
1 poivron vert
100 g d'oignons
200 g de seitan
10 g de beurre
10 g de farine
1/4 de litre d'eau
1 cuil. à café de miso
4 cuil. à soupe d'huile d'olive
1 cuil. à soupe de paprika
Sel, Hot Pepper

Pour les Spätzles
200 g de farine
2 œufs
2 cuil. de crème double
50 g de beurre
1 pincée de macis
Sel, poivre du moulin

Ranger les poivrons sur une plaque à rôtir, les arroser avec 2 cuillerées à soupe d'huile d'olive et cuire au four préchauffé à 180 °C (th. 6) pendant 20 minutes environ en les tournant régulièrement.

À la sortie du four, couvrir d'un film alimentaire et laisser refroidir 30 minutes, puis les éplucher, retirer les graines et les détailler en cubes de 2 cm de côté.

Éplucher et détailler les oignons en mirepoix* (de la taille des poivrons).

Dans une cocotte, chauffer les 2 cuillerées à soupe d'huile d'olive restantes, y faire rissoler les oignons 3 minutes avec une légère coloration, ajouter le seitan coupé en cubes de 1 cm de côté et prolonger la cuisson de 3 minutes.

Dans une casserole, réaliser un roux* avec le beurre et la farine, cuire 4 minutes sans coloration, mouiller avec l'eau, mélanger avec un fouet jusqu'à l'ébullition, ajouter du sel, du Hot Pepper et le miso et cuire 15 minutes à petit feu.

Passer au chinois dans la cocotte, ajouter les poivrons, le paprika et cuire 10 minutes à feu doux. Rectifier l'assaisonnement.

Pour les Spätzles, réunir dans un saladier tous les ingrédients, bien pétrir la pâte.

Dans une marmite d'eau bouillante salée, faire tomber des petits morceaux de pâte à travers les gros trous d'une passoire, faire pocher quelques minutes.

Égoutter les Spätzle, les plonger dans une eau glacée, égoutter à nouveau. Les faire sauter au beurre dans une poêle sur feu moyen.

Servir une louche de fricot, entourer de Spätzles.

CROUSTILLANT *de* POIVRONS *et* TOMATES *aux* OLIVES

Pour cette recette, les feuilles de brick peuvent éventuellement être remplacées par des feuilles de filo, mais elles sont moins maniables.

PRÉPARATION
30 minutes

CUISSON
35 minutes

Pour 4 personnes

Sans gluten

MARCHÉ
4 feuilles de brick
200 g de poivrons jaunes
200 g de poivrons rouges
100 g de poireaux
80 g d'oignons
2 jaunes d'œufs
1/4 de litre d'eau
1 cuil. à café de miso
80 g de semoule de maïs très fine
1 cuil. à soupe d'huile d'olive
10 cl d'huile d'arachide
1 pincée d'herbes de Provence
1 poignée de fromage râpé (facultatif)
Quelques feuilles de basilic
Sel, Hot Pepper

Pour la sauce
400 g de tomates
Le jus de 1/2 citron
100 g d'olives noires
1/2 paquet de ciboulette
1 pincée de fleur de thym
5 cl d'huile d'olive
1 cuil. à café de tamari
Sel, Hot Pepper

Trier, laver et tailler en paysanne* très fine le poireau et l'oignon.

Faire cuire les poivrons au four préchauffé à 180 °C (th. 6) pendant 20 minutes. Les éplucher, les épépiner et les détailler en petits cubes.

Dans une cocotte, chauffer l'huile d'olive et y faire suer* l'oignon et le poireau. Ajouter l'eau, du sel, du Hot Pepper, les herbes de Provence et le miso. À l'ébullition, verser en pluie la semoule, cuire 3 minutes en remuant constamment avec une spatule en bois, retirer du feu.

Incorporer les jaunes d'œufs (et éventuellement le fromage râpé) et les cubes de poivron. Laisser refroidir.

Préparer la sauce : monder*, épépiner et concasser* les tomates. Mélanger les tomates, les olives dénoyautées et concassées, le jus du demi-citron, la ciboulette finement émincée, l'huile d'olive, du sel, du Hot Pepper, le tamari et la fleur de thym.

Poser au milieu de chaque feuille de brick 2 à 3 cuillerées à soupe de farce au poivron. Plier les feuilles en quatre et les dorer à la poêle dans l'huile d'arachide sur feu vif ou au four à 180 °C pendant 7 à 8 minutes.

Si les croustillants ont cuit dans l'huile, les égoutter sur du papier absorbant.

Poser un croustillant au centre de chaque assiette, verser un cordon de sauce et décorer de feuilles de basilic.

POIVRONS *à l'*ORIENTALE *et* GALETTES *de* POMME *de* TERRE

Vous pouvez remplacer les galettes de pomme de terre par du riz, des pâtes ou une polenta. Vous gagnerez du temps tout en préservant l'harmonie.

Sans gluten

PRÉPARATION

40 minutes

CUISSON

1 heure 10

Pour 4 personnes

MARCHÉ

4 poivrons rouges
100 g d'oignons
2 gousses d'ail
50 g de raisins secs
50 g d'amandes torréfiées
1 cuil. à soupe de miel
10 cl d'eau
1 cuil. à café de miso d'orge
4 cuil. à soupe d'huile d'olive
Sel, Hot Pepper

Pour les galettes de pomme de terre

400 g de pommes de terre
2 blancs d'œufs
80 g de crème épaisse
3 cuil. à soupe d'huile d'olive
20 g de graines de sésame
1 pincée de macis
Sel, poivre du moulin

Disposer les poivrons sur une plaque, arroser d'un filet d'huile d'olive et cuire au four préchauffé à 180 °C (th. 6) pendant 20 à 25 minutes en les tournant de temps en temps.

Les peler et les épépiner, puis les couper en gros dés.

Ciseler les oignons et hacher finement les gousses d'ail. Chauffer l'huile d'olive dans une cocotte sur feu moyen et y faire rissoler 5 minutes les oignons avec l'ail, sans coloration.

Ajouter le miel, cuire 3 minutes, ajouter les dés de poivron, mélanger et laisser mijoter 3 minutes puis verser l'eau avec le miso. Assaisonner de sel et de Hot Pepper, incorporer les raisins secs et les amandes et cuire 20 à 25 minutes à petite ébullition.

Préparer les galettes de pomme de terre : cuire les pommes de terre au four à 200 °C (th. 6-7) pendant 45 à 60 minutes.

Les ouvrir en deux. Retirer la pulpe avec une cuillère à soupe et la passer au moulin à légumes, grille fine. Mettre dans une casserole, assaisonner de sel, de macis et de poivre. Ajouter la crème fraîche en donnant une ébullition et en remuant constamment à la spatule. Retirer du feu.

Monter* en neige très ferme les blancs d'œufs et les incorporer délicatement à la purée de pomme de terre.

Dans une poêle brûlante, verser l'huile d'olive et disposer dessus des petits tas de pomme de terre de la grosseur d'une cuillère à soupe, baisser le feu et faire dorer de chaque côté les petites galettes.

Disposer en éventail dans chaque assiette quelques galettes de pomme de terre, les napper de poivrons à l'orientale et saupoudrer d'une pincée de graines de sésame.

Fenouil

Originaire d'Italie, le fenouil est une plante aromatique de la famille des ombellifères.
Le légume est le bulbe très charnu placé à la base des pétioles, qu'il est préférable
d'éplucher à l'économe afin d'ôter les parties filandreuses des premières feuilles.
Les graines et les tiges constituent un excellent condiment. Les pampes ou toupets
verts s'utilisent comme du persil ou accompagnent les salades composées.
Consommé cru, c'est une très bonne crudité, très riche en sels minéraux (calcium
et fer) et en vitamines.
Ce légume très fin est à redécouvrir.

Sans gluten

COPEAUX *de* FENOUIL *et de* LÉGUMES *au* PISTOU

Voici une façon très originale de présenter des crudités avec une sauce ensoleillée aux accents méditerranéens.

PRÉPARATION
30 minutes
Pour 4 personnes

MARCHÉ
1 (petite) salade
1 carotte
2 radis
1/2 courgette
1/2 concombre
1 fenouil
1 petite betterave crue
80 g de parmesan
8 feuilles de basilic

Pour la sauce
150 g de tomates
1 gousse d'ail
30 g de pignons
1 cuil. à soupe de jus de citron
1 pincée de sucre
1 pincée d'herbes de Provence
4 cuil. à soupe d'huile d'olive
2 cuil. à soupe de basilic haché
1 cuil. à café de tamari
Sel, Hot Pepper

Trier, laver et essorer la salade. Éplucher et laver la carotte, la betterave et le fenouil.

Éplucher la demi-courgette et le demi-concombre en ôtant une lanière de peau sur deux.

À l'aide d'une mandoline, confectionner des copeaux en détaillant des tranches de 0,5 mm à 1 mm d'épaisseur maximum.

Afin de faire « gondoler » les copeaux, préparer deux saladiers d'eau avec des glaçons. Mettre dans l'un la betterave et dans l'autre tous les légumes restants.

Passer à la mandoline le parmesan, garder les copeaux au réfrigérateur sur un plateau.

Passer à la mandoline les radis et réserver dans un bol.

Pour la sauce, monder* les tomates et les détailler en brunoise*. Hacher finement l'ail. Torréfier* les pignons de pin.

Mélanger tous les ingrédients de la sauce dans un bol.

Poser un bouquet de salade au centre de l'assiette, disposer les copeaux de légumes en buisson, en mélangeant les couleurs, terminer par le parmesan, le radis et quelques feuilles de basilic.

FENOUIL *en* BOUILLABAISSE

Cette recette est un clin d'œil à cette grande spécialité marseillaise.

PRÉPARATION

30 minutes

CUISSON

15 minutes

Pour 4 personnes

MARCHÉ

100 g d'oignons
100 g de poireaux
40 g de céleri-branche
350 g de pommes de terre
350 g de fenouil
250 g de tomates
15 g d'algues kombu
1 petit zeste d'orange
4 cuil. à soupe d'huile d'olive
1 petite branche de thym
2 feuilles de laurier
1 g de safran
Sel, Hot Pepper

Pour le dressage

80 g de barbe de fenouil
5 g de laitue de mer et d'algues iziki
1 g de pistil de safran
1 cuil. à soupe de persil haché

Sans gluten
—
VEGAN

Réhydrater les algues kombu puis les émincer et les cuire 5 minutes dans de l'eau bouillante. Les égoutter et les réserver.

Tailler en paysanne* les oignons, les poireaux et le céleri. Éplucher et tailler les pommes de terre en tranches de 1 cm d'épaisseur.

Dans une cocotte, chauffer 2 cuillerées à soupe d'huile d'olive et y faire rissoler les légumes avec le thym et le laurier pendant 5 minutes sur feu moyen.

Ajouter les pommes de terre avec le zeste d'orange, le safran, du sel, du Hot Pepper et les algues kombu. Verser 40 cl d'eau et cuire à couvert à petite ébullition pendant 5 minutes.

Émincer les fenouils comme les pommes de terre et les faire sauter vivement à la poêle avec 2 cuillerées à soupe d'huile d'olive, sans coloration. Mélanger à la bouillabaisse.

Monder*, épépiner et concasser* les tomates, les ajouter et laisser mijoter 5 minutes à découvert.

Décorer avec le pistil de safran, le persil haché, la barbe de fenouil et les algues réhydratées.

Servir aussitôt.

FENOUIL FARCI *en* CROÛTE *de* BRIOCHE

PRÉPARATION
45 minutes

REPOS
4 heures minimum

CUISSON
1 heure
Pour 4 personnes

MARCHÉ
4 fenouils pas trop gros
Farine
1 jaune d'œuf pour la dorure
Sel, Hot Pepper

Pour la pâte à brioche

250 g de farine semi-complète
25 g de sucre
5 g de sel
3 œufs
10 g de levure de boulanger
5 cl de lait
125 g de beurre

Pour la farce

100 g de carottes
100 g de courgettes
40 g de céleri
100 g de blancs de poireaux
100 g de potimarron
50 g de champignons de Paris
2 cuil. à soupe d'huile d'olive

Pour la panade (dans la farce)

20 g de beurre
30 g de farine
1 petit blanc d'œuf
5 cl d'eau
1 pincée de macis

Pour le chop suey

100 g de verts de poireaux
150 g de fenouil
5 g d'algues salade de la mer
1 cuil. à café de tamari
5 cl d'huile d'olive

Pour la sauce

Voir ingrédients dans le texte

Préparer la pâte à brioche : dans la cuve du batteur mélanger avec le crochet la farine, le sucre, le sel, les œufs et la levure diluée dans le lait tiède, pendant 5 minutes jusqu'à l'obtention d'une pâte homogène puis incorporer le beurre coupé en morceaux sans cesser de mélanger pendant 8 minutes.

Débarrasser dans un saladier, recouvrir de film alimentaire et réserver 1 à 2 heures à 35 °C (au four ou sur une plaque). La pâte va doubler de volume.

Malaxer la pâte puis réserver au réfrigérateur au minimum 3 heures.

Préparer la farce : détailler tous les légumes en fine brunoise*. Chauffer l'huile d'olive dans une cocotte en fonte et y cuire les légumes à feu très vif en remuant constamment pendant 2 à 3 minutes : ils doivent rester *al dente*.

Préparer la panade : dans une casserole chauffer l'eau avec le beurre, amener à ébullition. Ajouter la farine, mélanger énergiquement jusqu'à ce qu'une pâte se forme et se détache des parois. Débarrasser dans un saladier et incorporer le blanc d'œuf. Incorporer la panade dans les légumes, assaisonner de sel, de Hot Pepper et du macis.

Éplucher les fenouils à l'économe et les plonger dans de l'eau bouillante salée pendant 20 minutes, puis les égoutter et les rafraîchir.

Ouvrir les feuilles de fenouil comme un artichaut et les farcir de légumes liés à la panade.

Abaisser* la pâte à brioche sur 2 cm d'épaisseur et découper dedans des triangles un peu plus grands que les fenouils farcis.

Envelopper chaque fenouil farci, les poser sur une plaque et les badigeonner de jaune d'œuf battu avec 1 cuillerée à soupe d'eau.

Faire lever 30 minutes sur la plaque du fourneau en maintenant une température au dessus de 30 °C qui fasse lever la pâte, et cuire au four préchauffé à 180 °C (th. 6) pendant 35 à 40 minutes.

Préparer le chop suey : couper au ras des fenouils toutes les parties hautes avec les barbes.

Émincer très finement les fenouils ainsi que les poireaux, mélanger avec les algues. Faire sauter à la poêle avec l'huile d'olive pendant 2 à 3 minutes. Déglacer* avec 3 cuillerées à soupe d'eau et 1 cuillerée à café de tamari.

Préparer la sauce : amener à ébullition 1/4 de litre de crème fraîche avec une 1/2 cuillerée à café de tamari, 1/2 cuillerée à café d'anis vert mixé, du sel et du Hot Pepper. Diluer 1 cuillerée à café d'arrow-root dans 3 cuillerées à soupe d'eau et verser sur la crème en remuant constamment pour la lier.

Disposer sur chaque assiette un fenouil farci en croûte avec un peu de chop suey, entourer d'un cordon de sauce.

FENOUIL FARCI *à la* PAYSANNE *de* LÉGUMES

Après cuisson, les fenouils doivent êtres presque confits et très moelleux.

PRÉPARATION

30 minutes

CUISSON

1 heure

Pour 4 personnes

MARCHÉ

4 fenouils
150 g de poireaux
150 g de carottes
150 g de courgettes
100 g de chou vert
80 g d'oignons
30 g de céleri
3 gousses d'ail

1 cuil. à soupe de persil haché
2 œufs
100 g de mie de pain
2 cuil. à soupe d'huile d'olive
1 cuil. à café de marjolaine
1/4 de litre d'eau
Sel, Hot Pepper

Couper les tiges des fenouils au ras des bulbes ainsi que la base et éplucher à l'économe les fenouils. Détacher les côtes, retirer les fibres autour pour les attendrir et réserver les cœurs pour la farce.

Cuire les côtes dans de l'eau bouillante salée pendant 10 à 12 minutes, puis les passer sous une eau glacée et les égoutter.

Préparer la farce : éplucher et tailler en paysanne* les poireaux, les carottes, les courgettes, les oignons, le céleri et le chou vert. Éplucher et hacher l'ail.

Dans une cocotte, chauffer l'huile d'olive et y faire suer* les oignons quelques minutes sur feu moyen.

Ajouter les deux tiers de l'ail, la marjolaine et tous les autres légumes, assaisonner de sel et de Hot Pepper, poser un rond de papier sulfurisé et cuire à couvert pendant 25 minutes sur feu doux, en remuant de temps en temps.

Retirer du feu et ajouter le reste d'ail, le persil, la mie de pain et les œufs battus en omelette. Bien mélanger le tout. Goûter et rectifier l'assaisonnement si nécessaire.

Farcir les côtes de fenouil de ce mélange en reformant quatre fenouils. Les disposer dans un plat à gratin, verser le quart de litre d'eau, recouvrir d'un rond de papier sulfurisé et cuire au four préchauffé à 180 °C (th. 6) pendant 35 à 40 minutes, en arrosant les fenouils de temps en temps.

Servir bien chaud.

FENOUIL CONFIT
et POMMES FONDANTES

*Il est préférable de servir cette recette dans le plat de cuisson en raison
de la consistance des légumes.*
Veillez à ne pas trop saler au départ.

PRÉPARATION
20 minutes
CUISSON
45 à 50 minutes
Pour 4 personnes

MARCHÉ
4 petits fenouils
8 pommes de terre
80 g de beurre ou de graisse végétale
1 cuil. à soupe de sucre
75 cl d'eau
1 cuil. à café de miso
Sel, Hot Pepper

Sans gluten
—
VEGAN

Trier, éplucher à l'économe et laver les fenouils.

Éplucher et tourner les pommes de terre en leur donnant une forme de savonnette.

Beurrer grassement un plat à gratin, disposer côte à côte les fenouils et les pommes de terre,
les parties les plus plates bien au fond du plat (les légumes ne doivent pas se chevaucher).

Parsemer de petits morceaux de beurre, assaisonner de sel, de sucre et du Hot Pepper.

Diluer le miso dans l'eau bouillante et recouvrir les légumes à hauteur. Amener à ébullition.

Poser un rond de papier sulfurisé et cuire à feu doux jusqu'à l'évaporation totale du liquide :
une légère caramélisation doit se produire en fin de cuisson.

Présenter les légumes du côté légèrement caramélisé.

GÂTEAU *de* FENOUIL *à la* CRÈME *de* HARICOTS BLANCS

Si vous trouvez sur le marché des haricots blancs frais, n'hésitez pas :
ils seront bien meilleurs que des haricots secs ou des haricots en conserve.

PRÉPARATION
35 minutes

CUISSON
40 minutes
Pour 4 personnes

MARCHÉ
300 g de fenouil
80 g de courgettes
80 g de butternut
80 g de tomates
80 g d'oignons
1 gousse d'ail
10 g de beurre
40 g de chapelure
20 g de levure
  alimentaire maltée
2 cuil. à soupe d'huile d'olive
1 pincée de coriandre,
  d'herbes de Provence,
  de sarriette et de thym
1 cuil. à soupe de persil,
  de cerfeuil et de basilic hachés
1 cuil. à soupe de ciboulette
  émincée
Sel, Hot Pepper

Pour la cuisson
des haricots blancs
200 g de haricots blancs frais
50 g d'oignon
50 g de carottes
1 gousse d'ail
1 bouquet garni
1 branche de sauge
1 clou de girofle
1 pincée de macis
Sel

Pour la finition
80 g de fenouil

Écosser les haricots blancs. Détailler l'oignon et les carottes en mirepoix.*

Mettre à bouillir un demi-litre d'eau salée avec l'oignon, la carotte, le bouquet garni, la branche de sauge, le clou de girofle, la gousse d'ail et le macis. À l'ébullition, ajouter les haricots blancs et cuire à petite ébullition pendant 30 minutes.

Éplucher à l'économe le fenouil. Détailler à la mandoline 100 g de fenouil en tranches de 3 mm d'épaisseur, les plonger dans l'eau bouillante salée pendant 3 minutes, puis les rafraîchir sous une eau glacée, égoutter et sécher.

Chemiser* les moules préalablement beurrés avec de la chapelure. Tapisser de tranches de fenouil.

Détailler le reste de fenouil en brunoise* ainsi que les courgettes et le butternut. Monder*, épépiner et détailler en brunoise les tomates. Ciseler l'oignon et hacher l'ail.

Dans une cocotte, chauffer l'huile d'olive et y faire rissoler les oignons avec l'ail pendant 2 à 3 minutes, puis ajouter les brunoises de courgette, fenouil et butternut. Baisser le feu, poser un rond de papier sulfurisé et cuire à feu doux pendant 6 minutes.

Retirer du feu et incorporer la tomate, la chapelure, la levure maltée, les épices et les aromates ainsi que les herbes fraîches, bien mélanger, assaisonner de sel et de Hot Pepper.

Garnir généreusement les moules et cuire au four préchauffé à 160 °C (th. 5-6) pendant 30 minutes.

Pour la finition, éplucher et détailler le fenouil à la mandoline, puis le couper en fine julienne*.

Retirer des haricots blancs la carotte, le bouquet garni et la sauge, les égoutter en gardant le jus de cuisson. Mixer les haricots en ajoutant petit à petit du jus de cuisson afin d'obtenir une préparation très crémeuse. Passer au chinois-étamine. Rectifier l'assaisonnement.

Déposer une louche de crème de haricot au centre de chaque assiette, démouler par-dessus un gâteau de fenouil et entourer d'une fine julienne de fenouil.

FLAN *de* FENOUIL
et CROQUETTES *de* LENTILLES

Le moelleux du fenouil associé au croustillant des croquettes fait tout le succès de cette recette.
Si vous l'accompagnez d'une sauce roquefort et de fruits secs (amandes, noix, pignons…),
vous ajouterez une note gourmande.

PRÉPARATION
35 minutes

REPOS
30 minutes

CUISSON
1 heure

Pour 4 personnes

MARCHÉ
Pour les croquettes de lentilles

80 g de lentilles vertes
20 g de carottes
20 g de poireaux
5 g de céleri
20 g d'oignons
2 petites gousses d'ail
75 cl d'eau
1 clou de girofle
1 bouquet garni
2 feuilles de sauge
1 petite brindille de romarin
1 pincée de macis
Huile d'arachide
Sel, Hot Pepper

Pour le roux

40 g de beurre, 50 g de farine
3 jaunes d'œufs

Pour la panure

50 g de farine, 1 œuf
80 g d'amandes hachées

Pour le flan de fenouil

60 g d'oignons, 1 gousse d'ail
300 g de fenouil, 2 œufs
1 cuil. à soupe de fenouil
  en poudre
2 cuil. à soupe d'huile d'olive

Mettre les lentilles dans une casserole, verser 75 cl d'eau, porter à ébullition, écumer, ajouter la carotte, le poireau, le céleri, l'oignon, l'ail, le clou de girofle, le bouquet garni, la sauge et le romarin. Assaisonner de sel, du macis et de Hot Pepper, et cuire 30 à 40 minutes sur feu moyen. Quand les lentilles sont bien cuites, il ne doit presque plus rester de liquide. Retirer la carotte, le poireau, le céleri et le bouquet garni.

Faire un roux*avec le beurre et la farine, bien mélanger et cuire à feu doux pendant 5 minutes.

Verser les lentilles sur le roux et mélanger énergiquement avec une spatule, amener à ébullition en remuant constamment afin de réaliser une pâte homogène.

Retirer du feu, incorporer les jaunes d'œufs. Rectifier l'assaisonnement en sel et Hot Pepper. Étaler sur une plaque et réserver dans un endroit frais pendant 30 minutes.

Sur le plan de travail fariné, façonner douze croquettes. Puis les paner en les passant successivement dans la farine, l'œuf battu dans 2 cuillerées à soupe d'eau et les amandes hachées. Les plonger dans un bain d'huile d'arachide à 200 °C. Dès que les amandes deviennent dorées, retirer les croquettes et les égoutter sur du papier absorbant.

Beurrer quatre moules.

Pour le flan de fenouil, émincer l'oignon et le fenouil. Écraser la gousse d'ail. Dans une petite cocotte chauffer l'huile d'olive et y faire rissoler les oignons avec la gousse d'ail pendant 4 à 5 minutes. Ajouter le fenouil, assaisonner de sel, de Hot Pepper et de poudre de fenouil. Verser 4 cuillerées à soupe d'eau, recouvrir d'un rond de papier sulfurisé et cuire 25 à 30 minutes à feu doux.

Retirer du feu et réduire en fine purée dans un mixeur. Ajouter deux œufs, mixer de nouveau et rectifier l'assaisonnement.

Garnir les moules de la préparation, couvrir de papier sulfurisé et cuire au bain-marie au four à 170 °C (th. 5-6) pendant 25 à 30 minutes.

Démouler un flan par assiette, disposer autour trois croquettes de lentilles et une compotée de fenouil émincée finement.

LASAGNE *de* FENOUIL *aux* LÉGUMES à *la* CRÈME *de* RIZ

Dans cette recette, les fines tranches de fenouil font office de pâte à nouilles. La crème de riz peut être remplacée par de la crème d'orge ou de la crème d'avoine dans les mêmes proportions.

PRÉPARATION

30 minutes

CUISSON

45 minutes

Pour 4 personnes

MARCHÉ

400 g de fenouil
150 g de courgettes
150 g d'aubergines
200 g de tomates
150 g de butternut
100 g de céleri-rave
80 g de farine

Pour la crème de riz

80 g d'oignons
1 gousse d'ail
50 g de crème de riz
1 cuil. à café de miso

1/2 litre d'eau
2 cuil. à soupe d'huile d'olive
Sel, Hot Pepper

Pour le gratin

80 g de mozzarella coupée
  en tranches
  ou 40 g de fromage râpé
  (parmesan, comté ou gruyère)
  ou 30 g de chapelure pour
  les vegan

Éplucher à l'économe le fenouil, les aubergines et les courgettes en laissant une lanière de peau sur deux. Éplucher le céleri et le butternut. Monder* les tomates.

Détailler à la mandoline de fines tranches de fenouil de 2 mm d'épaisseur. Toujours à la mandoline, détailler dans le sens de la longueur, sur 2 mm d'épaisseur, les aubergines, les courgettes, le céleri et le butternut. Détailler au couteau des tranches de tomate de 3 à 4 mm d'épaisseur.

Pour la crème de riz, émincer l'oignon et hacher l'ail. Chauffer dans une cocotte l'huile d'olive et y faire rissoler les oignons et l'ail pendant 3 minutes sur feu moyen, ajouter l'eau, le miso, du sel et du Hot Pepper et mélanger la crème de riz avec un fouet. Amener à ébullition en mélangeant constamment au fouet, baisser le feu et cuire 5 minutes à feu doux. Mixer la préparation.

Beurrer ou huiler un plat à gratin.

Plonger les tranches de fenouil dans une casserole d'eau bouillante salée pendant 4 minutes, puis les rafraîchir dans une eau glacée et égoutter. Faire de même avec le céleri et le butternut.

Passer les tranches d'aubergine et de courgette dans la farine et les dorer rapidement à la poêle avec l'huile d'olive (les légumes ne doivent pas cuire), les débarrasser sur une plaque.

Tapisser le fond du plat à gratin avec les tranches de fenouil, superposer les tranches d'aubergine, de tomate, de courgette, de butternut et de céleri, napper d'un peu de sauce, recommencer avec le fenouil et poursuivre la superposition de légumes et de sauce ; terminer par le fenouil.

Napper le dessus du gratin avec le reste de sauce. Disposer des tranches de mozzarella ou du fromage râpé ou de la chapelure et cuire au four préchauffé à 180 °C (th. 6) pendant 30 à 35 minutes.

MACARONIS *en* CRÈME *de* FENOUIL *au* GRATIN

On peut remplacer les macaronis par des coquillettes ou des pâtes papillon.

PRÉPARATION

20 minutes

CUISSON

45 minutes

Pour 4 personnes

MARCHÉ

200 g de macaronis
80 g de poireaux
80 g d'oignons
300 g de fenouil
1 gousse d'ail hachée
30 g de parmesan râpé
2 anis étoilés (badiane)
10 cl de crème fraîche
2 cuil. à soupe d'huile d'olive
1 cuil. à soupe de fenouil en poudre
1 cuil. à café d'anis vert en poudre
1 cuil. à café de coriandre en poudre
1 pincée de safran
1 pincée de thym et de sarriette
Sel, Hot Pepper

Détailler en paysanne* l'oignon, le poireau et le fenouil.

Cuire les macaronis dans de l'eau bouillante salée avec l'anis étoilé, puis les égoutter et les rafraîchir.

Dans une cocotte, chauffer l'huile d'olive, y faire rissoler l'oignon, le poireau et l'ail pendant 5 minutes sur feu moyen, puis ajouter le fenouil, les poudres de fenouil, d'anis vert et de coriandre, ainsi que le safran, le thym et la sarriette. Assaisonner de sel et de Hot Pepper.

Couvrir d'un rond de papier sulfurisé, baisser le feu et cuire 20 à 30 minutes à feu doux en remuant de temps en temps.

Bien mixer le contenu de la cocotte en incorporant la crème fraîche.

Dans un grand saladier lier les macaronis avec la crème, bien mélanger et rectifier l'assaisonnement.

Débarrasser dans un plat à gratin beurré, saupoudrer de parmesan et passer au four préchauffé à 170 °C (th. 5-6) pendant 15 minutes.

ORGE MONDÉ *sur une* SYMPHONIE *de* FENOUIL

L'orge mondé ou complet est plus riche en minéraux et en vitamines que l'orge perlé qui est une céréale plus blanche équivalant au riz blanc.

PRÉPARATION
45 minutes

REPOS
30 minutes

CUISSON
50 minutes

Pour 4 personnes

MARCHÉ

Pour l'orge mondé au fenouil

200 g de fenouil, 200 g d'orge
1/2 cuil. à café de miso
2 cuil. à soupe d'huile d'olive
Sel, Hot Pepper

Pour la pâte à nouilles

100 g de farine, 1 œuf
1 pincée de sel

Pour le croquant de fenouil

1 fenouil, 2 cuil. à soupe de farine
1 œuf, 150 g de mie de pain

Pour la farce

200 g de fenouil,
100 g de tomates
1 cuil. à café de zeste
  de citron râpé
1/2 cuil. à café de citron
  en poudre
2 cuil. à soupe de mie de pain
1 cuil. à soupe d'huile d'olive
Sel, Hot Pepper

Pour la sauce

50 g d'oignons, 100 g de fenouil
2 anis étoilés, 25 cl d'eau
1/2 cuil. à café d'anis vert
8 cl d'huile d'olive
Sel, Tabasco®

Préparer l'orge mondé au fenouil : détailler en fine brunoise* le fenouil.

Chauffer l'huile d'olive dans une cocotte sur feu moyen, y faire rissoler le fenouil pendant 3 minutes, ajouter l'orge, nacrer* la céréale, mouiller avec 50 cl d'eau parfumé au miso, assaisonner de sel et de Hot Pepper. Couvrir d'un rond de papier sulfurisé, amener à ébullition, baisser le feu et cuire à feu doux pendant 30 minutes.

Préparer le gâteau de fenouil : réaliser la pâte à nouilles en mélangeant la farine, l'œuf et le sel. Bien travailler la pâte puis la laisser reposer 30 minutes, enveloppée dans du film alimentaire.

Pour la farce, détailler le fenouil en paysanne*. Monder* les tomates et les couper en brunoise.

Chauffer l'huile d'olive dans une cocotte à feu vif, y faire rissoler le fenouil pendant 3 minutes, ajouter le zeste de citron, la poudre de zeste de citron, du sel et du Hot Pepper, couvrir d'un rond de papier sulfurisé et cuire à feu doux en remuant de temps et temps. Dès que le fenouil devient tendre, retirer du feu, incorporer la brunoise de tomate et lier avec la mie de pain. Laisser refroidir.

Abaisser* la pâte à nouilles de l'épaisseur d'une feuille de papier à cigarette. Beurrer quatre ramequins, les foncer de pâte à nouilles, garnir de farce, recouvrir de pâte à nouilles et souder les bords.

Cuire au four préchauffé à 180 °C (th. 6) pendant 20 à 25 minutes.

Pour le croquant de fenouil, couper en quatre le fenouil et cuire les quartiers dans de l'eau bouillante salée pendant 10 minutes. Les rafraîchir dans une eau glacée puis les égoutter.

Paner les morceaux de fenouil en les passant dans la farine, puis dans l'œuf battu avec 2 cuillerées à soupe d'eau et la mie de pain.

Confectionner la sauce : cuire ensemble le fenouil, l'oignon, l'anis étoilé et l'eau pendant 15 minutes à feu doux. Retirer l'anis étoilé. Mixer et incorporer l'huile d'olive avec le sel, le Tabasco® et l'anis vert haché très fin.

Au moment de servir, plonger les croquants de fenouil dans un bain de friture à 180 °C jusqu'à l'obtention d'une enveloppe bien dorée, égoutter sur du papier absorbant et saler.

Démouler un gâteau dans chaque assiette, disposer harmonieusement l'orge, les croquants de fenouil et la sauce, décorer avec quelques sommités feuillues du fenouil.

Navet

Cette plante potagère à la racine charnue et sucrée est originaire d'Europe.
On en trouve de nombreuses variétés sur nos marchés : le navet nantais, le croissy,
le rond à collet mauve, le milan, le jaune « boule d'or » et le navet de Pardailhan,
sentinelle chez Slow Food.
Râpé ou émincé finement, le navet constitue une excellente crudité.
Les feuilles de navets tendres se préparent comme les épinards.
Très souvent employé comme garniture aromatique, en association avec des
poireaux, des oignons, des carottes et du céleri, le navet peut également constituer
l'aliment principal d'un plat. C'est un légume revitalisant.

FONDANT *de* NAVETS *et* GALETTE *de* MILLET

La galette de millet peut se réaliser avec d'autres céréales, il suffit de remplacer le millet par de l'orge, du riz ou du sarrasin.

PRÉPARATION
45 minutes

CUISSON
40 minutes

Pour 4 personnes

MARCHÉ

Pour le fondant de navets

400 g de navets
45 g de beurre
50 g de farine
2 œufs
2 cuil. à soupe d'huile d'olive
20 cl de lait
20 cl de crème fraîche
1 pincée de macis
Sel, Hot Pepper

Pour la cuisson du millet

200 g de millet
100 g de poireaux
50 g d'oignons
1 gousse d'ail hachée

2 cuil. à soupe d'huile d'olive
1 bouquet garni
1 cuil. à café de miso
1 cuil. à soupe de sucre

Pour la galette de millet

50 g de farine
1 œuf
2 cuil. à soupe d'eau
1 cuil. à soupe de levure alimentaire
   maltée
1/2 cuil. à café d'estragon haché
1 cuil. à soupe de persil et de cerfeuil haché
1 cuil. à soupe de cébette émincée
1 cuil. à café de graines de sésame,
   de courge et de tournesol
50 g de graisse végétale

Pour la cuisson du millet, tailler en paysanne* le poireau et l'oignon. Chauffer l'huile d'olive dans une cocotte et y faire rissoler l'oignon, le poireau et l'ail pendant 5 minutes sur feu moyen.

Ajouter le millet, nacrer*, mouiller avec 25 cl d'eau parfumée avec le miso, saler, ajouter le bouquet garni, amener à ébullition, couvrir d'un rond de papier sulfurisé et cuire 25 minutes à feu doux. Retirer du feu et laisser reposer la céréale.

Préparer les fondants : éplucher et râper les navets (comme des carottes), chauffer le beurre et faire suer* dedans les navets environ 10 minutes en mélangeant fréquemment.

Dans un saladier mélanger au fouet la farine, les œufs, l'huile d'olive, le lait et la crème fraîche. La pâte doit être complètement lisse (dans le cas contraire, passer au chinois-étamine). Assaisonner de sel, du Hot Pepper et de macis.

Mélanger cette pâte aux navets, bien remuer pour que la pâte enrobe les filaments. Rectifier l'assaisonnement.

Verser la préparation dans un plat à gratin huilé sur 1,5 cm d'épaisseur et cuire au four préchauffé à 180 °C (th. 6) pendant 25 minutes.

Réaliser les galettes : dans un saladier mélanger la farine, l'œuf et l'eau. Retirer le bouquet garni du millet et y incorporer la pâte, la levure alimentaire, les herbes et les graines. Rectifier l'assaisonnement.

Dans une poêle sur feu moyen, chauffer la graisse végétale et déposer des tas de pâte de la grosseur d'une cuillère à soupe. Faire dorer les deux faces.

Servir les galettes avec le fondant de navets.

DAUBE *de* NAVETS
et COQUILLETTES *au* PAPRIKA

La daube est un mode de cuisson des viandes qui se fait généralement avec du vin rouge. La daube de bœuf à la provençale est faite avec du vin blanc, tout comme la daube de navets.

PRÉPARATION
30 minutes

CUISSON
1 heure

Pour 4 personnes

MARCHÉ

400 g de navets
80 g d'oignons
80 g de carottes
80 g de champignons de Paris
80 g de tomates
2 gousses d'ail
30 g d'olives noires
1 zeste d'orange
1 bouquet garni (céleri-branche, queues de persil, thym, laurier)
10 cl de vin blanc
10 cl d'eau
2 cuil. à soupe d'huile d'olive
1 cuil. à café de miso
Sel, Hot Pepper

Pour les coquillettes

200 g de coquillettes
80 g d'oignons ciselés
1 cuil. à soupe d'huile d'olive
10 cl de crème fraîche épaisse
1 cuil. à soupe de paprika
Sel

Pour la pâte à luter

60 g de farine
30 g d'eau

Éplucher les navets et les couper en mirepoix*. Éplucher les oignons et les carottes. Nettoyer et laver les champignons. Monder*, épépiner, et concasser* les tomates.

Détailler les oignons, les carottes et les champignons en petite mirepoix.

Mélanger la farine et l'eau pour confectionner une pâte à luter*.

Dans une cocotte, chauffer l'huile d'olive et y faire rissoler les oignons, les carottes et les champignons sur feu moyen pendant 5 minutes.

Ajouter les navets, faire rissoler 3 minutes. Ajouter les olives, le zeste d'orange, l'ail haché, les tomates, le vin blanc, l'eau, le miso et le bouquet garni. Assaisonner de sel et de Hot Pepper. Amener à ébullition et cuire 5 minutes à découvert.

Couvrir la cocotte, fermer hermétiquement le couvercle en posant un cordon de pâte tout autour et cuire au four préchauffé à 180 °C (th. 6) pendant 45 à 55 minutes.

Casser la pâte pour ouvrir la cocotte. Retirer le bouquet garni.

Cuire les coquillettes dans de l'eau bouillante salée.

Dans une casserole chauffer l'huile d'olive, et y faire rissoler les oignons pendant 5 minutes sur feu moyen, ajouter le paprika, cuire 1 à 2 minutes puis déglacer* avec la crème fraîche et faire réduire 3 minutes.

Verser les coquillettes égouttées dans la casserole, bien mélanger, rectifier l'assaisonnement.

Servir la daube dans la cocotte. Accompagner des coquillettes.

Sans gluten

MILLEFEUILLE *de* NAVETS à *la* CRÈME *de* POTIMARRON *et* RISOTTO *de* QUINOA

Très décorative et festive, cette recette demande un peu de dextérité pour la dresser. Le principe du risotto reste le même, c'est la céréale qui change.

PRÉPARATION
30 minutes

CUISSON
45 minutes
Pour 4 personnes

MARCHÉ
Pour le millefeuille

400 g de navets

Pour la crème de potimarron

250 g de potimarron
80 g d'oignons
2 gousses d'ail
5 cl de crème de soja
2 cuil. à soupe d'huile d'olive
Sel, Hot Pepper

Pour le risotto de quinoa

80 g d'oignons ciselés
200 g de quinoa
30 g de beurre
30 g de parmesan râpé
2 cuil. à soupe d'huile d'olive
45 cl d'eau
1 cuil. à café de miso

Éplucher les navets et détailler horizontalement quarante tranches de 2 mm d'épaisseur et de 5 cm de diamètre à l'aide d'une mandoline. Plonger les tranches dans de l'eau bouillante salée pendant 3 minutes, puis égoutter, plonger dans une eau glacée, égoutter à nouveau et sécher avec du papier absorbant.

Préparer la crème de potimarron : éplucher l'oignon, écraser l'ail. Émincer l'oignon et le potimarron.

Chauffer l'huile d'olive dans une cocotte sur feu moyen, y faire rissoler l'oignon et l'ail pendant 4 minutes, ajouter le potimarron, assaisonner de sel et de Hot Pepper, verser 4 cuillerées à soupe d'eau, couvrir d'un rond de papier sulfurisé et cuire 25 minutes à feu doux.

Mixer très finement en ajoutant la crème de soja. Rectifier l'assaisonnement.

Préparer le risotto : dans une cocotte chauffer l'huile d'olive, y faire rissoler l'oignon pendant 3 minutes, ajouter le quinoa, nacrer* la céréale 1 minute, puis mouiller au fur et à mesure de la cuisson avec le miso dilué dans l'eau chaude en gardant une ébullition constante. Quand le quinoa est cuit et qu'il n'y a plus de liquide, ajouter le beurre et le parmesan puis retirer du feu et rectifier l'assaisonnement.

Poser sur une plaque beurrée allant au four six tranches de navet. Garnir une poche à douille de crème de potimarron et déposer des petites rosaces sur les tranches de navet. Poser une nouvelle tranche de navet et garnir de crème de potimarron. Renouveler l'opération deux fois pour obtenir quatre épaisseurs de crème de potimarron. Finir par une tranche de navet. Réaliser les huit millefeuilles.

Cuire au four préchauffé à 160 °C (th. 5-6) pendant 15 minutes.

Déposer deux millefeuilles de navets à la crème de potimarron par assiette, accompagner du risotto de quinoa.

DARTOIS *de* NAVETS
et SALADE *de* CHOUCROUTE

Le dartois est une grande bande de feuilletage rectangulaire que l'on garnit de farce salée ou sucrée et que l'on plie en deux pour former une grande allumette.
Il est préférable de préparer la farce la veille. La cuisson se fait sur une plaque mouillée.

PRÉPARATION
20 minutes

RÉFRIGÉRATION
30 minutes

CUISSON
30 minutes

Pour 4 personnes

MARCHÉ

Pour le dartois

250 g de pâte feuilletée
1 jaune d'œuf (pour la dorure)
20 g de graines de tournesol

Pour la farce

300 g de navets
20 g de crème d'orge
  en poudre
2 cuil. à soupe
  d'huile d'olive
15 cl d'eau
Sel, Hot Pepper

Pour la salade
de choucroute

200 g de choucroute crue
1 pomme
1 côte de céleri
1/2 radis noir
1 cébette finement émincée
30 g de cerneaux de noix
  concassés
1 cuil. à soupe de vinaigre de cidre
5 cuil. à soupe d'huile d'olive
1 cuil. à café de moutarde
  à l'ancienne
1 pincée de curry
Sel

Préparer la farce : éplucher et laver les navets, les détailler en brunoise*.

Chauffer l'huile d'olive dans une poêle et y faire sauter les navets à feu moyen pendant 4 à 5 minutes. Débarrasser dans une casserole.

Mélanger la crème d'orge avec l'eau à l'aide d'un fouet. Verser sur les navets, amener à ébullition en mélangeant constamment avec la spatule, saler, ajouter du Hot Pepper, baisser le feu et prolonger la cuisson de 5 minutes. Laisser refroidir puis mettre au réfrigérateur 30 minutes.

Préparer le dartois : abaisser la pâte sur 2 mm d'épaisseur et détailler un rectangle de 20 x 14 cm.

Garnir de farce aux navets la moitié du rectangle (sur la longueur) à 4 cm du bord. Replier la pâte, pincer les bords et badigeonner de jaune d'œuf battu avec 1 cuillerée à soupe d'eau à l'aide d'un pinceau. Saupoudrer de graines de tournesol.

Poser le dartois sur une plaque mouillée. Cuire au four préchauffé à 200 °C (th. 6-7) pendant 25 à 30 minutes.

Pendant ce temps, préparer la salade de choucroute. Rincer la choucroute, la presser et la concasser*. Couper en paysanne* la pomme, les cerneaux de noix, le céleri et le radis noir. Les mélanger avec la choucroute et la cébette dans un saladier.

Pour la sauce, réunir dans un bol la moutarde, le vinaigre, le curry et l'huile d'olive, saler, bien fouetter et mélanger avec la choucroute.

Au sortir du four, détailler le dartois en portions, servir avec la salade de choucroute.

Sans gluten
—
VEGAN

NAVET GLACÉ *et* PURÉE
de CÉLERI-RAVE *aux* NOISETTES

Cette préparation enchante les palais les plus fins…
Une seule variété de navet peut convenir, mais la diversité apporte des goûts
et des textures différentes.

PRÉPARATION
30 minutes

CUISSON
30 minutes
Pour 4 personnes

MARCHÉ
4 navets jaunes de 3 cm de diamètre
4 navets violets de 3 cm de diamètre
4 navets blancs de 3 cm de diamètre
2 cuil. à soupe de miel
  ou 2 cuil. à soupe de sirop d'agave
  pour les vegan
30 g de beurre ou de graisse végétale
5 cl de vinaigre balsamique
1 cuil. à soupe de sucre
Sel, poivre du moulin

Pour la crème de céleri
400 g de céleri-rave
1/2 citron
1 grosse cuil. à soupe de purée
  de noisettes
10 cl de crème de soja
40 g de noisettes torréfiées
Sel, Hot Pepper

Éplucher les navets et les ranger bien à plat dans une casserole à fond épais, ajouter le beurre, le miel, du sel, le sucre, du poivre, mouiller à hauteur des navets, couvrir d'un rond de papier sulfurisé, amener à ébullition puis maintenir une petite ébullition.

Attention, les navets sont cuits dès qu'il n'y a plus de liquide et une légère coloration doit se former : les tourner avec une fourchette et prolonger la cuisson de 4 à 5 minutes à feu doux.

Dans une petite casserole, sur feu moyen, faire réduire le vinaigre balsamique de moitié afin d'obtenir une consistance sirupeuse.

Pour la crème de céleri, éplucher le céleri-rave et le détailler en gros morceaux. Les plonger dans 2 litres d'eau bouillante salée avec le jus du demi-citron et cuire à petite ébullition pendant 25 à 30 minutes.

Égoutter les morceaux et les mixer finement avec la purée de noisettes, la crème de soja et du Hot Pepper. Rectifier l'assaisonnement en sel.

Sur chaque assiette, disposer trois navets en éventail, compléter d'une louche de purée de céleri, répartir par-dessus les noisettes torréfiées et tracer un cordon de vinaigre balsamique.

POTÉE *de* NAVETS *aux* LÉGUMES

Le mot « potée » désigne une sorte de soupe faite avec des viandes de porc et des légumes, essentiellement des choux et des pommes de terre. Ici, les navets remplacent avantageusement le porc…

PRÉPARATION
30 minutes

CUISSON
20 minutes

Pour 4 personnes

MARCHÉ
80 g de poireaux
80 g d'oignons
40 g de céleri-branche
2 gousses d'ail
100 g de chou vert frisé
80 g de carottes
80 g de courgettes
300 g de navets
100 g de pommes de terre
1/2 litre d'eau
2 cuil. à soupe d'huile d'olive
1 cuil. à café de miso
Sel, Hot Pepper

Pour la finition
4 tranches de pain semi-complet
1 gousse d'ail
40 g de parmesan râpé

Éplucher et laver tous les légumes, les détailler en paysanne*. Hacher l'ail.

Chauffer l'huile d'olive dans une cocotte, y faire suer* les poireaux, les oignons, le céleri et l'ail pendant 5 minutes, ajouter le chou vert frisé, les carottes, les courgettes et les navets, faire suer de nouveau 5 minutes.

Mouiller avec l'eau, saler, ajouter du Hot Pepper et le miso. Amener à ébullition, ajouter les pommes de terre et cuire 15 minutes à petite ébullition. Rectifier l'assaisonnement.

Toaster les tranches de pain, les frotter légèrement à l'ail.

Poser les tranches au centre de chaque assiette creuse. Arroser de trois ou quatre louches de potée, saupoudrer de parmesan et passer quelques minutes sous le gril du four pour faire dorer le fromage. Servir aussitôt.

Potimarron

Il fait partie de la grande famille des cucurbitacées (potimarron, butternut, courge muscade ou potiron). Orange foncé, sa peau fine et tendre ne s'épluche pas. Sa chair est très ferme. Le potimarron renferme beaucoup moins d'eau que sa cousine la courge muscade, c'est la raison pour laquelle nous associons souvent pour leurs textures, leurs goûts et leur pourcentage en eau des variétés de la même famille comme le butternut, la longue de Nice, la courge muscade, la sucrine du Berry et le doux vert d'Hokkaido. Toutes ces variétés conviennent pour réaliser les recettes qui suivent. Ce légume au goût de châtaigne est une manne de vitamines et de minéraux.

CROQUETTES *d'*AVOINE *au* POTIMARRON

L'avoine est une céréale très énergisante, couramment utilisée pour les porridges.
Cette recette lui donnera toute sa dimension culinaire.

PRÉPARATION
30 minutes

CUISSON
35 minutes

Pour 4 personnes

MARCHÉ
400 g de potimarron

Pour la sauce

100 g d'oignons
3 gousses d'ail
1 branche de sarriette
2 cuil. à soupe d'huile d'olive
  + 5 cl
Sel, poivre

Pour les croquettes

60 g de carottes
80 g de courgettes
80 g de poireaux
20 g de côte de céleri
150 g de flocons d'avoine
10 g de miso
2 jaunes d'œufs
20 g de parmesan râpé
Farine
2 cuil. à soupe d'huile d'olive

Pour la panure

50 g de farine
2 œufs
1 cuil. à soupe d'huile d'olive
100 g de mie de pain
  ou de chapelure

Pour le dressage

3 g d'algues iziki
20 graines de courge
4 branches de cerfeuil

Lever avec une cuillère à pomme parisienne douze boules de potimarron. Cuire les boules à l'eau bouillante salée en les gardant *al dente*. Émincer le reste de potimarron.

Dans une cocotte y faire chauffer l'huile d'olive et y faire rissoler les oignons émincés, l'ail écrasé et la branche de sarriette. Ajouter le potimarron émincé, saler, couvrir d'un rond de papier sulfurisé et cuire 20 minutes à feu doux.

Quand le potimarron est bien tendre, retirer du feu, enlever la branche de sarriette, mixer finement en incorporant 5 cl d'huile d'olive, rectifier l'assaisonnement.

Détailler en brunoise* les carottes, les courgettes, le poireau et le céleri. Les faire rissoler à feu très vif avec 2 cuillerées à soupe d'huile d'olive pendant 2 minutes. Ajouter les flocons d'avoine, bien mélanger, puis verser 1,5 l d'eau bouillante salée dans laquelle vous avez dissous le miso. Amener à ébullition, intercaler un rond de papier sulfurisé entre le récipient et le couvercle et faire cuire à très petit feu pendant 10 minutes.

Hors du feu, incorporer les jaunes d'œufs et le fromage en mélangeant énergiquement.

Faire refroidir, verser sur le plan de travail fariné, façonner des cylindres de 5 x 2 cm de circonférence.

Paner les croquettes en les passant successivement dans la farine puis dans les œufs battus avec 1 cuillerée à soupe d'huile d'olive et 4 cuillerées à soupe d'eau et enfin dans la mie de pain mixée ou de la chapelure.

Plonger dans une friture à 180 °C pendant 2 à 3 minutes. Égoutter et poser sur du papier absorbant.

Verser une louche de sauce dans chaque assiette, répartir les croquettes au milieu et entourer, en alternant, les boules de potimarron, une pincée d'algues iziki réhydratées et le cerfeuil. Parsemer de graines de courge.

CANNELLONIS *aux* HERBES
à la GRAINE *d'*ORGE *et de* POTIMARRON

Pour cette recette, vous pouvez soit utiliser des cannelloni prêts à farcir, soit les réaliser vous-même (voir la recette de la Galantine de pâtes aux petits légumes, page 167).

PRÉPARATION
35 minutes

CUISSON
50 minutes

Pour 4 personnes

MARCHÉ
1 paquet de cannellonis à farcir
Sel, Hot Pepper

Pour la farce

200 g de poireaux
150 g de potimarron
500 g de verts de blettes
1 cuil. à soupe de ciboulette
2 cuil. à soupe de cébette
100 g de fromage de brebis frais
1 cuil. à soupe d'huile d'olive
1 cuil. à café de persil
1 cuil. à café de cerfeuil
1 pincée de macis

Pour le flan de potimarron

200 g de potimarron
80 g d'oignons
1 gousse d'ail
1/2 cuil. à café d'herbes
  de Provence
2 œufs
2 cuil. à soupe d'huile d'olive

Pour la cuisson de l'orge

60 g d'oignons, 200 g d'orge
  mondé, 45 cl d'eau
10 g de miso, 2 cl d'huile d'olive

Pour la sauce

250 g de potimarron
10 g d'ail
7 cl d'huile d'olive
Le jus de 1/2 citron
1/2 cuil. à café de tamari
1 cuil. à café de sauge

Détailler en paysanne* les poireaux et le potimarron. Blanchir*, rafraîchir, presser et concasser* les verts de blettes. Chauffer l'huile d'olive dans une cocotte à fond épais, y faire revenir à feu très vif les poireaux et le potimarron pendant 3 minutes en remuant énergiquement. Baisser le feu, couvrir d'un rond de papier sulfurisé et d'un couvercle, cuire 10 minutes à feu doux puis ajouter les blettes et les cébettes émincées, prolonger la cuisson de 5 minutes.

Hors du feu, incorporer le persil et le cerfeuil hachés ainsi que la ciboulette émincée. Assaisonner de sel, de macis et de Hot Pepper. Ajouter le fromage de brebis coupé en petits morceaux.

Préparer le flan de potimarron : émincer les oignons et le potimarron, écraser l'ail. Dans une casserole à fond très épais, y chauffer l'huile d'olive, y faire rissoler sans coloration les oignons, l'ail et les herbes de Provence pendant 5 minutes, ajouter le potimarron, du sel et un quart de verre d'eau. Couvrir d'un rond de papier sulfurisé et d'un couvercle et cuire 10 minutes à feu doux. Mixer la préparation, incorporer les œufs, mixer à nouveau finement et rectifier l'assaisonnement.

Beurrer quatre moules, les garnir de la préparation et faire cuire au bain-marie au four préchauffé à 160 °C (th. 5-6) pendant 30 minutes.

Pour la cuisson de l'orge, ciseler les oignons, les faire rissoler avec l'huile d'olive jusqu'à coloration. Verser l'orge, nacrer* la céréale puis verser l'eau parfumée au miso, assaisonner de sel et de Hot Pepper. À l'ébullition, poser un rond de papier sulfurisé et un couvercle, cuire 5 minutes sur feu moyen, baisser le feu et prolonger la cuisson de 20 minutes. Hors du feu, laisser 15 minutes puis égrener la céréale.

Préparer la sauce : détailler en brunoise* le potimarron et hacher finement l'ail. Passer la brunoise dans la farine, puis tamiser pour enlever l'excédent de farine. Chauffer une grande poêle avec 2 cl d'huile d'olive, faire sauter les cubes de potimarron sans grosse coloration. Quand le potimarron commence à être fondant, ajouter l'ail, donner deux tours de poêle et débarrasser dans une casserole. Ajouter 5 cl d'huile d'olive, le sel, le tamari, le jus de citron et la sauge hachée, bien mélanger. Réchauffer au dernier moment si nécessaire.

Farcir généreusement les cannellonis puis les ranger côte à côte dans un plat à gratin préalablement beurré, verser 25 cl d'eau parfumée avec 1 cuillerée à café de miso. Couvrir d'un rond de papier sulfurisé beurré et cuire 25 à 30 minutes au four à 170 °C (th. 5-6).

Tapisser le fond de chaque assiette d'un peu d'orge égrainé, poser par-dessus trois ou quatre cannellonis, démouler le flan de potimarron et répartir 2 à 3 cuillerées à soupe de sauce.

Sans gluten
—
VEGAN

DOLMAS *de* FEUILLES *de* VIGNE

Les dolmas (feuilles de vigne farcies) sont un grand classique de la cuisine grecque. Les feuilles de vigne doivent être tendres, il faut donc privilégier les plus jeunes.

PRÉPARATION
30 minutes
CUISSON
55 minutes
Pour 4 personnes

MARCHÉ
16 feuilles de vigne
100 g d'oignons
100 g de potimarron
80 g de raisins secs
50 g de pignons
2 citrons

200 g de riz long semi-complet
1 cuil. à café de curry
1 cuil. à soupe de tamari
5 cuil. à soupe d'huile d'olive
Branches de persil
Sel

Faire blanchir* les feuilles de vigne pendant 3 minutes dans de l'eau bouillante salée, les passer sous l'eau froide, les égoutter et les réserver.

Éplucher et ciseler les oignons. Laver le potimarron, le couper en fine brunoise*.

Faire dorer les pignons au four préchauffé à 180 °C (th. 6) pendant 5 minutes.

Dans une casserole y faire chauffer 2 cuillerées à soupe d'huile d'olive et y faire revenir les oignons pendant 5 minutes. Ajouter le potimarron, les raisins secs et le riz. Mouiller avec une fois et demie le volume de riz, ajouter le jus d'un citron, le curry et le sel, couvrir d'un rond de papier sulfurisé et cuire 15 à 20 minutes sur feu doux.

Hors du feu, incorporer les pignons dorés. Goûter et rectifier l'assaisonnement si nécessaire.

Farcir les feuilles de vigne de cette préparation. Rabattre les côtés et les rouler en les serrant bien.

Les déposer délicatement dans un plat à gratin les unes contre les autres. Mouiller avec 40 cl d'eau additionnée d'un jus de citron, de 5 g de sel, du tamari et des 3 cuillerées à soupe d'huile d'olive restantes. Cuire au four préchauffé à 180 °C (th. 6) pendant 30 à 35 minutes.

Servir bien froid avec du persil en branche, accompagné d'un yaourt à la grecque légèrement citronné.

Sans gluten
—
VEGAN

POTIMARRON *en* GELÉE

Cette préparation peut se faire la veille ou l'avant-veille et se conserve très bien au réfrigérateur. Dans la mesure où elle est gélifiée avec de l'agar-agar, elle pourrait prendre le nom d'« aspic ». Oranges, vinaigre balsamique et potimarron s'harmonisent parfaitement.

PRÉPARATION
35 minutes

CUISSON
30 minutes
Pour 4 personnes

MARCHÉ
400 g de potimarron
80 g d'oignons
2 gousses d'ail
80 g de trévise
80 g de feuilles de chêne
2 oranges
1 pincée de gingembre
1 cuil. à café de miso
1/2 cuil. à café d'écorce
   d'orange en poudre
4 g d'agar-agar
10 cl d'eau
1 cuil. à soupe de vinaigre
   balsamique
6 cuil. à soupe d'huile d'olive
1 pincée de d'herbes de Provence
Sel, Hot Pepper

Pour le dressage
5 cl de vinaigre balsamique

Détailler en petite mirepoix* les oignons et 250 g de potimarron (détailler les 150 g restants en petits quartiers). Éplucher les gousses d'ail.

Dans une cocotte, y chauffer 2 cuillerées à soupe d'huile d'olive, y faire rissoler les oignons, l'ail, les herbes de Provence et le gingembre jusqu'à l'apparition d'une légère coloration.

Ajouter le potimarron détaillé en mirepoix, bien mélanger, verser 5 cl d'eau, l'agar-agar dilué dans 10 cl d'eau, de sel, du Hot Pepper, le miso, le zeste d'une orange et l'écorce d'orange en poudre. Couvrir et cuire pendant 25 à 35 minutes à feu doux.

Mixer et rectifier l'assaisonnement. Garnir quatre ramequins, de cette préparation et les mettre au réfrigérateur.

Cuire *al dente* les quartiers de potimarron dans de l'eau bouillante salée (compter environ 4 minutes), puis retirer les morceaux avec une araignée et les plonger dans une eau glacée.

Trier et laver les salades.

Prélever le zeste de la deuxième orange et le détailler en fine julienne*, puis le plonger 2 minutes dans de l'eau bouillante. Égoutter, rafraîchir et réserver dans un bol. Peler* à vif les oranges, lever les suprêmes.

Dans un bol, réunir le vinaigre balsamique, du sel, du Hot Pepper et 4 cuillerées à soupe d'huile d'olive, bien mélanger la sauce.

Pour le dressage, faire réduire de moitié le vinaigre balsamique dans une petite casserole sur feu moyen afin d'obtenir une consistance sirupeuse.

Démouler sur chaque assiette froide le potimarron. Décorer avec quelques feuilles de salade assaisonnées d'un cordon de sauce, parsemer de quartiers de potimarron, répartir harmonieusement les suprêmes d'orange, saupoudrer d'une pincée de julienne d'orange et terminer par un filet de vinaigre balsamique.

PUDDING *de* POTIMARRON *sur une* ESTOUFFADE *de* CHOUX

Ce pudding est très léger grâce aux blancs d'œufs battus en neige très ferme.
La présence de pommes reinette dans l'estouffade de choux adoucit la dureté
gustative du chou.

PRÉPARATION
30 minutes

CUISSON
30 minutes
Pour 4 personnes

MARCHÉ
300 g de potimarron
50 g de beurre
30 g de farine
1/4 de litre de lait
2 jaunes d'œufs + 2 blancs

Pour l'estouffade de choux
200 g de chou vert frisé
200 g de chou pé-tsaï
100 g d'oignons
20 g de céleri-branche
100 g de pommes reinette
20 g de beurre
1/2 cuil. à café de baies
  de genièvre moulues
1 pincée de macis
Sel, Hot Pepper

Pour les quenelles
de pomme de terre
300 g de pommes de terre
100 g de potimarron
30 g de beurre + 50 g pour
  la finition
1 pincée de macis
150 g de farine
Sel, Hot Pepper

Râper 300 g de potimarron. Dans une cocotte à fond épais y faire fondre 20 g de beurre, ajouter le potimarron, bien mélanger et remuer fréquemment pendant 5 à 6 minutes sur feu doux.

Réaliser une béchamel : faire fondre 30 g de beurre, ajouter la farine, cuire à feu doux sans coloration pendant 4 à 5 minutes, verser le lait, remuer avec un fouet jusqu'à l'ébullition, remplacer le fouet par une spatule en bois et mélanger quelques minutes sur feu moyen. Hors du feu, incorporer les jaunes d'œufs.

Verser cette préparation dans le potimarron, bien mélanger.

Beurrer et fariner des moules individuels.

Monter* en neige très ferme les blancs et les incorporer délicatement à la préparation. Garnir les moules et cuire au four préchauffé à 160 °C (th. 5-6) pendant 25 à 30 minutes.

Pour l'estouffade de choux, détailler en paysanne* les oignons, le céleri, les choux et les pommes.

Dans une cocotte à fond épais, chauffer le beurre et faire suer* les oignons et le céleri pendant 6 à 7 minutes, puis ajouter les choux avec les pommes, bien mélanger, assaisonner de sel, du Hot Pepper et de macis, ajouter les baies de genièvre. Recouvrir d'un rond de papier sulfurisé et cuire pendant 30 à 35 minutes à feu doux.

Pour les quenelles de pomme de terre, détailler en grosse mirepoix* les pommes de terre avec le potimarron, cuire dans 2 litres d'eau salée pendant 15 à 20 minutes.

Égoutter et passer au moulin à légumes. Incorporer à la spatule 30 g de beurre et la farine, rectifier l'assaisonnement en sel, Hot Pepper et macis.

Sur le plan de travail fariné façonner des rouleaux de pâte de 1 cm de diamètre, tronçonner des morceaux de 2 cm de long.

Pocher les quenelles dans une eau salée frémissante, dès qu'elles remontent à la surface, les retirer avec une écumoire. Dans une poêle chaude, rouler les quenelles dans le beurre fondu pendant 2 à 3 minutes.

Remplir quatre ramequins de chou cuit, les démouler sur chaque assiette, démouler par-dessus un pudding de potimarron, entourer de huit à dix quenelles de pomme de terre.

Sans gluten

MOUSSE *de* POTIMARRON
sur GRAINS *de* RIZ SOUFFLÉS

Vous trouverez aisément des galettes de riz soufflé dans le commerce.
Choisissez des galettes de 1 cm d'épaisseur. Si elles manquent de croustillant,
passez-les quelques minutes au four à 150 °C (th. 5).
Attention, dès que les galettes seront recouvertes de mousse de potimarron,
elles se ramolliront très vite.

PRÉPARATION
20 minutes
CUISSON
23 minutes
Pour 4 personnes

MARCHÉ
450 g de potimarron
100 g de blancs de poireaux
80 g d'oignon
1 gousse d'ail
3 blancs d'œufs
2 tranches de betteraves cuites
4 olives noires
1 œuf dur

8 galettes de riz soufflé
2 cuil. à soupe d'huile d'olive
1 bouquet garni
1 feuille de sauge
1 branche de sarriette
4 branches de persil
Sel, poivre

Peler et hacher l'ail. Éplucher, laver et émincer finement les oignons, les poireaux et le potimarron.

Dans une cocotte chauffer l'huile d'olive, y faire suer* les poireaux et les oignons pendant 3 minutes.

Ajouter le potimarron, le bouquet garni, la sauge, la sarriette, du sel et du poivre, et cuire à couvert sans eau pendant 20 minutes à feu doux.

Retirer le bouquet garni, la sauge et la sarriette. Mixer la préparation. Réserver au chaud.

Monter* les blancs d'œufs en neige très ferme. Les incorporer délicatement à la purée de potimarron.

Dresser la mousse de potimarron sur les galettes de riz à l'aide d'une poche à douille.

Couper avec un emporte-pièce de 1 cm de diamètre des pastilles d'olive noire, de blanc d'œuf et de betterave. Les parsemer sur la mousse de potimarron, poser une branche de persil et servir aussitôt.

CHOU FARCI *à la* FAÇON BRITISH

Il y a mille et une façons de composer des farces et la feuille de chou se prête toujours à être farcie.
Le côté british, c'est le fait de servir en accompagnement d'une préparation salée de la gelée de groseille avec des pickles… Le goût français n'est pas habitué à cette association aigre-douce, pourtant très courante dans les pays anglo-saxons.

PRÉPARATION

30 minutes

CUISSON

35 minutes

Pour 4 personnes

MARCHÉ

1 petit chou vert frisé
300 g de verts de blettes
100 g d'oignons
150 g de poireaux
30 g de céleri
1 gousse d'ail
150 g de ricotta
2 œufs
50 g de pain demi-somplet
3 cl d'huile d'olive
1 pincée de thym
1 cuil. à soupe de persil
1 cuil. à soupe de tamari
1/2 cuil. à café de quatre-épices
Sel, Hot Pepper

Pour la garniture

4 petites pommes de terre
1 petite betterave rouge crue
100 g de gelée de groseille
1 cuil. à soupe de tamari
4 cuil. à soupe de cornichons
  et petits oignons au vinaigre
Quelques branches de persil

Détacher huit grandes feuilles du chou et garder le cœur entier.

Dans une grande marmite d'eau bouillante salée blanchir* les feuilles de chou pendant 5 minutes, les égoutter et les rafraîchir dans une eau glacée puis faire blanchir à la place les feuilles de blette pendant 3 minutes, les égoutter, les rafraîchir, les presser fortement et les concasser*.

Préparer la farce : tailler en paysanne* les oignons, les poireaux, le céleri et le cœur du chou. Dans une cocotte à fond épais y chauffer l'huile d'olive et y faire rissoler tous ces légumes avec l'ail haché. Cuire 10 minutes, poser un rond de papier sulfurisé et remuer de temps en temps.

Ajouter les blettes hachées, le thym, du sel, du Hot Pepper et le tamari, cuire encore 5 minutes toujours à couvert.

Retirer du feu et incorporer la ricotta, le persil haché, les œufs battus et le pain mixé. Rectifier l'assaisonnement.

Étaler les feuilles de chou sur le plan de travail, retirer la partie dure de la côte centrale avec un petit couteau, sans couper la feuille en deux.

Poser 3 cuillerées à soupe de farce au milieu de chaque feuille, replier pour former un paquet et ranger dans un plat à gratin grassement beurré. Faire cuire au four préchauffé à 200 °C (th. 6-7) pendant 20 minutes. Au bout de 15 minutes de cuisson, couvrir les farcis d'un papier sulfurisé beurré.

Cuire les pommes de terre en robe des champs 25 minutes environ à l'eau salée.

Éplucher la betterave, la couper en deux et la détailler en tranches de 5 mm d'épaisseur. Cuire les tranches *al dente* dans un demi-litre d'eau salée parfumée au tamari.

Éplucher les pommes de terre et les émincer en tranches de 3 mm d'épaisseur.

Disposer deux choux farcis dans chaque assiette. Reconstituer chaque pomme de terre en alternant avec des tranches de betterave. Décorer de cornichons, de petits oignons, de gelée de groseille et de branches de persil.

PIROJKI *de* SMOLENSK

Quand j'ai réalisé cette recette d'inspiration russe dans mon premier restaurant,
L'Artisan gourmand, en 1979, le succès fut immédiat.

PRÉPARATION
20 minutes

CUISSON
40 minutes

Pour 4 personnes

MARCHÉ
200 g de pâte feuilletée
1 jaune d'œuf
1 cuil. à soupe de graines de lin

Pour la cuisson de du kasha
120 g d'oignons
20 g de beurre
100 g de kasha
10 g de miso d'orge
2 œufs durs concassés
1 cuil. à soupe de persil haché
1 cuil. à soupe de ciboulette émincée
1 cuil. à café de paprika
Sel, Hot Pepper

Pour la sauce
80 g d'oignons
25 cl de vin blanc
100 g de beurre
1 cuil. à café de jus de citron

Pour la garniture
200 g de cœur de chou vert frisé
30 g de beurre
Sel, poivre du moulin

Cuire le kasha : ciseler les oignons, les faire suer* avec une légère coloration dans
le beurre, ajouter le kasha, le nacrer, mouiller une fois et demie le volume de la céréale
avec de l'eau bouillante salée parfumée au miso, assaisonner de paprika, de sel et de Hot
Pepper, amener à ébullition, couvrir d'un rond de papier sulfurisé et cuire 15 à 20 minutes
à feu doux.

Retirer du feu le kasha, l'égrainer en incorporant les œufs durs, le persil et la ciboulette.
Étaler sur un plateau afin de faciliter le refroidissement et placer au réfrigérateur.

Façonner les pirojki : abaisser* la pâte feuilletée pour former un rectangle de 30 x 15 cm.
Badigeonner de jaune d'œuf battu la moitié du rectangle, répartir la farce froide sur la pâte,
la replier sur la plus grande longueur et souder en chiquetant* les bords. Badigeonner à nouveau
de jaune d'œuf, saupoudrer de graines de lin puis mettre au four préchauffé à 200 °C (th. 6-7)
pendant 30 à 35 minutes.

Pour la sauce, ciseler les oignons. Dans une casserole sur feu moyen, faire réduire aux trois quarts
le vin blanc avec les oignons, puis réaliser un beurre blanc en incorporant au fouet le beurre
coupé en morceaux. Saler, poivrer et verser le jus de citron.

Pour la garniture : émincer le chou vert frisé sans les côtes. Dans une poêle, chauffer le beurre,
ajouter le chou et cuire 2 minutes à feu très vif en faisant « sauter » le chou. Retirer du feu.

Couper le pirojki en morceaux. Répartir le chou sur les assiettes, disposer les morceaux
de pirojki et verser un cordon de sauce.

TRILOGIE *de* CHOU, SAUCE AURORE

La sauce aurore est une béchamel tomatée qui peut être remplacée par une fine purée de betterave rouge ou de brocoli que l'on émulsifie au dernier moment avec un peu d'huile d'olive. C'est une recette idéale pour faire apprécier les céréales aux plus réticents.

PRÉPARATION
30 minutes

CUISSON
1 heure 10
Pour 4 personnes

MARCHÉ
200 g de chou vert frisé
200 g de chou-fleur
200 g de brocoli
30 g de millet
30 g de sarrasin
20 g de pignons torréfiés
3 œufs
150 g de tofu
1 cuil. à café de paprika
1 cuil. à soupe de ciboulette
10 g de beurre fondu
 (pour les ramequins)
3 x 1 pincée de macis
Sel, poivre du moulin

Pour la sauce
50 g d'oignons
1/4 de litre de lait
15 g de beurre
15 g de farine
1 cuil. à soupe de concentré
 de tomates
1 pincée de macis
Sel, poivre du moulin

Cuire à l'eau le millet et le sarrasin. Beurrer grassement douze ramequins.

Dans une marmite d'eau bouillante salée, faire blanchir* les feuilles de chou vert pendant 5 minutes, égoutter avec une écumoire et rafraîchir sous une eau glacée. Dans la même eau, blanchir les bouquets de chou-fleur pendant 10 minutes, égoutter et rafraîchir. Faire de même avec les bouquets de brocoli.

Dans le robot mixeur mettre le chou-fleur avec un œuf, mixer afin d'obtenir une purée très fine, débarrasser dans un saladier, incorporer le millet bien égoutté et assaisonner de sel, de poivre et du macis. Garnir quatre ramequins de cette préparation.

Dans le robot mixeur, faire la même opération avec le brocoli et un œuf. Débarrasser dans un saladier et ajouter les pignons torréfiés. Assaisonner de sel, du poivre et du macis. Garnir quatre ramequins de cette préparation.

Dans lc robot mixeur, mettre le tofu émincé, un œuf, le paprika, bien mixer afin d'obtenir une crème très fine. Débarrasser dans un saladier et incorporer le sarrasin et la ciboulette émincée, assaisonner de sel, poivre et macis.

Chemiser* quatre moules avec les feuilles tendres du chou vert, (bien faire déborder du moule pour recouvrir entièrement de feuilles les ramequins). Garnir les moules de la préparation précédente et replier les feuilles de chou.

Mettre les moules dans une plaque creuse, remplir d'eau aux trois quarts, couvrir d'un papier sulfurisé beurré et cuire au four préchauffé à 180 °C (th. 6) pendant 45 minutes.

Préparer la sauce : dans une casserole faire fondre le beurre, faire suer* l'oignon émincé 3 à 4 minutes, ajouter la farine et cuire comme un roux* blanc pendant 4 minutes sans coloration. Retirer du feu. Mettre le lait à bouillir et verser petit à petit le lait chaud sur le roux en remuant constamment avec un fouet. Remettre sur feu vif. Dès qu'il y a ébullition et que la sauce est bien diluée, baisser le feu, assaisonner en sel, poivre et macis, ajouter le concentré de tomates (la sauce doit prendre une couleur rose) et cuire 15 minutes à feu doux. Mixer avec le robot plongeant et rectifier l'assaisonnement.

Napper les assiettes de sauce et répartir les ramequins de choux différents.

BALLOTTINE *de* CHOU *aux* LÉGUMES, SAUCE WASABI

D'inspiration asiatique, cette ballottine accompagnera parfaitement un riz cuit à la vapeur ou un riz gluant cuit au rice cooker.
Le chou pé-tsaï peut remplacer avantageusement le chou vert frisé.

VEGAN

PRÉPARATION
35 minutes

CUISSON
30 minutes
Pour 4 personnes

MARCHÉ

1 petit chou vert frisé
80 g de verts de poireaux
80 g de carottes
40 g de céleri-branche
80 g de potimarron
50 g de lentins de chêne
   (shiitake)
80 g de chou-fleur
1 cuil. à soupe de ciboulette
1 cébette
20 g de vermicelle de soja
80 g de germes de soja
80 g de seitan
1 cuil. à soupe d'algues salade
   du pêcheur
1 cuil. à soupe d'algues iziki
20 g de gingembre frais râpé
4 cuil. à soupe de tamari
2 cuil. à soupe de crème d'orge
   en poudre
1 cuil. à soupe de coriandre
   fraîche
2 cuil. à soupe d'huile d'olive
5 cl d'huile mélangée
   à 50 % d'huile de sésame
   et 50 % d'huile d'arachide
Sel

Pour la sauce

5 cl de vinaigre de cidre
50 g d'oignons
1 cuil. à soupe de wasabi
10 cl de crème de soja
1 cuil. à café de sucre
Sel

Détacher les grandes feuilles du chou et garder le cœur qui correspond au tiers du chou. Blanchir* les feuilles dans de l'eau bouillante salée pendant 4 minutes. Les égoutter et les rafraîchir sous une eau glacée.

Détailler en biais très finement les verts de poireaux, les carottes, le céleri, le potimarron, les cébettes, le chou-fleur et le cœur du chou.

Plonger les vermicelles de soja dans de l'eau chaude pendant 8 à 10 minutes puis les tronçonner.

Émincer finement en bâtonnets les lentins de chêne et le seitan, faire rissoler vivement avec 2 cuillerées à soupe d'huile d'olive, réserver.

Mélanger les légumes détaillés en biais avec les vermicelles de soja et les germes de soja.

Râper le gingembre, couper la ciboulette en tronçons de 2 cm et hacher la coriandre. Réhydrater les algues iziki et les tronçonner de la longueur de la ciboulette. Réunir tous les éléments.

Diluer le tamari dans un verre d'eau. Chauffer vivement une poêle avec 2 cuillerées à soupe du mélange d'huile et y faire rissoler le quart de la préparation pendant 3 à 4 minutes sur feu vif, renouveler trois fois l'opération et déglacer* chaque fois avec un quart de verre d'eau parfumé au tamari.

Ajouter les algues salade du pêcheur et la crème d'orge, donner une petite ébullition de 2 minutes. Saler.

Poser à plat les feuilles de chou, retirer la côte blanche du centre, les garnir de farce et les rouler comme pour façonner des cannellonis. Les envelopper de film alimentaire, bien serrer et ficeler les extrémités.

Réunir toutes les ballottines dans une cocotte, recouvrir d'eau et pocher 20 minutes à très faible ébullition.

Préparer la sauce : ciseler les oignons. Dans une casserole faire réduire aux trois quarts le vinaigre de cidre avec les oignons sur feu moyen, ajouter le wasabi et la crème de soja, assaisonner de sel et du sucre. Mixer finement.

Napper le fond de l'assiette de sauce wasabi et disposer harmonieusement une ballottine coupée en deux et en biais.

POTÉE FLAMANDE *aux* DEUX CHOUX

*Dans le sud de la France, on n'a pas coutume de cuisiner le chou rouge
ni la betterave avec de la pomme. C'est pourtant une association très heureuse.*

PRÉPARATION
20 minutes

MARINADE
1 heure

CUISSON
30 minutes

Pour 4 personnes

MARCHÉ

Pour la marinade

200 g de tofu
Le jus de 1/2 citron
1 cuil. à café du mélange haché
   de carvi, macis, coriandre
   et moutarde
2 cuil. à soupe d'huile d'olive
Sel, poivre 5 baies

Pour la potée

100 g d'oignons
300 g de chou rouge
300 g de chou vert frisé
100 g de betterave rouge crue
300 g de pommes de terre
300 g de pommes reinette
40 g de graisse végétale
1 pincée de girofle en poudre
Sel, Hot Pepper

Pour le glaçage des oignons

200 g de petits oignons blancs
20 g de beurre
1 pincée de sel
1 pincée de sucre

Pour la panure

40 g de farine
1 œuf
80 g de graines de sésame
1 cuil. à soupe d'huile

Couper le tofu en cubes de 1 cm de côté et les mettre à mariner avec le jus de citron, les aromates, l'huile d'olive, six tours de poivre 5 baies et du sel pendant 1 heure.

Préparer la potée : détailler les oignons en petite mirepoix* et les faire rissoler 5 minutes dans la graisse végétale. Ajouter le chou vert et le chou rouge détaillés en petite mirepoix, couvrir d'un rond de papier sulfurisé et cuire 15 minutes à feu doux.

Ajouter les pommes détaillées en petite mirepoix. Assaisonner de sel, de la girofle et de Hot Pepper. Couvrir de nouveau et laisser cuire 5 minutes en veillant à garder les morceaux de pomme légèrement fermes.

Éplucher la betterave et les pommes de terre et les émincer en tranches de 5 mm d'épaisseur. Les cuire séparément à l'eau bouillante salée pendant 15 minutes environ.

Éplucher les petits oignons et les glacer* à blanc dans 4 cuillerées à soupe d'eau, le beurre, le sel et le sucre, couvrir d'un rond de papier sulfurisé et cuire sur feu moyen jusqu'à l'évaporation du liquide.

Égoutter le tofu, le paner en le passant dans la farine, puis dans l'œuf battu avec la cuillerée à soupe d'huile et 3 cuillerées à soupe d'eau et enfin dans les graines de sésame.

Plonger dans une friture à 200 °C. Dès que les morceaux sont bien dorés, les égoutter sur du papier absorbant.

Dresser au centre de chaque assiette une louche de potée et alterner autour les tranches de betterave, de pomme de terre et les petits oignons. Poser par-dessus quelques cubes de tofu.

Pomme de terre

Originaire d'Amérique, cette racine tubéreuse est introduite en France vers 1540.
Il existe de nombreuses variétés, plus ou moins farineuses.
Il est nécessaire pour certaines recettes d'utiliser des pommes de terre fraîchement
cueillies (les fameuses pommes de terre nouvelles) et pour d'autres recettes
des pommes de terre anciennes.
Les pommes de terre à chair fondante sont parfaites pour les soupes, les purées,
les plats mijotés ou bien rôties au four : amandine, belle de Fontenay, charlotte,
nicola, roseval… Celles à chair ferme sont idéales pour cuire à la vapeur,
faire rissoler ou confectionner un gratin : monalisa, agata, samba…

POMMES GEORGETTE *au* PETIT RAGOÛT *de* CHAMPIGNONS *et* d'AUBERGINES

La pomme Georgette est une pomme cuite au four, évidée et farcie d'une préparation aux écrevisses. Ici, je remplace les écrevisses par une brunoise de champignons et d'aubergines.

PRÉPARATION

30 minutes

CUISSON

1 heure 05

Pour 4 personnes

MARCHÉ

4 très grosses pommes de terre
150 g d'aubergine
80 g de champignons
  de Paris crème
80 g de lentins de chêne
  (shiitake)
80 g de pleurotes
40 g de cèpes secs
100 g d'oignons
1 gousse d'ail
2 jaunes d'œufs
30 g de beurre
4 cuil. à soupe d'huile d'olive
1 pincée de macis
Sel, poivre du moulin

Pour la sauce Soubise

20 g de beurre
20 g de farine
25 cl de lait
1 cuil. à café de miso
1 pincée de macis
1/2 cuil. à café de paprika
Sel, Hot Pepper

Laver les pommes de terre et les cuire avec la peau au four préchauffé à 200 °C (th. 6-7) pendant 50 à 60 minutes.

Couper le haut des pommes de terre afin de retirer la pulpe avec une cuillère à soupe. La passer au moulin à légumes.

Incorporer 30 g de beurre et les jaunes d'œufs, ajouter le macis, saler et poivrer en mélangeant à la spatule. Réserver la purée dans une poche à douille cannelée.

Pour le ragoût, éplucher l'aubergine avec un économe et la détailler en brunoise*. Trier, laver et détailler en brunoise les champignons de Paris, les lentins de chêne et les pleurotes. Réhydrater les cèpes. Ciseler finement 50 g d'oignons et émincer les 50 g restants. Hacher finement la gousse d'ail.

Réaliser la sauce Soubise en faisant cuire un roux* avec le beurre et la farine à feu doux sans coloration pendant 5 minutes puis verser le lait et remuer avec un fouet jusqu'à l'ébullition. Ajouter le miso, les oignons émincés, le macis, du sel, du Hot Pepper, le paprika et cuire 15 minutes à petit feu. Mixer finement la sauce.

Plonger la brunoise d'aubergine dans de l'eau bouillante salée pendant 3 minutes et égoutter dans une passoire.

Dans une grande poêle, chauffer 2 cuillerées à soupe d'huile d'olive, y faire rissoler à feu très vif les champignons pendant 2 à 3 minutes puis les égoutter sur les aubergines.

Dans une cocotte, chauffer 2 cuillerées à soupe d'huile d'olive et y faire rissoler l'oignon ciselé avec l'ail haché pendant 2 à 3 minutes, puis baisser le feu, ajouter les brunoises de champignon et d'aubergine. Incorporer la sauce Soubise dans les brunoises, laisser mijoter 6 minutes à petit feu en remuant de temps en temps.

Garnir généreusement les pommes de terre évidées et former un feston de purée autour de l'ouverture avec la poche à douille cannelée. Passer au four à 200 °C pendant 10 minutes pour colorer les bords de la pomme de terre.

AMANDINE, FRISETTE *et* CROQUETTES à la COMPOTÉE *de* LÉGUMES

Nature, en rosace au four, passée en friture, ou encore en gratin avec une garniture, la pomme duchesse se prête à de nombreuses variantes.

PRÉPARATION
40 minutes

CUISSON
30 minutes
Pour 4 personnes

MARCHÉ
400 g de pommes de terre
1 gousse d'ail hachée finement
1 cuil. à soupe d'olives noires
   dénoyautées et concassées
2 œufs + 3 jaunes
30 g de beurre pommade
80 g d'amandes hachées
   ou effilées
80 g de pâte vermicelle
80 g de mie de pain
   en chapelure
80 g de farine
5 cl d'eau
1 cuil. à soupe d'huile d'olive
1 cuil. à soupe de persil haché
1 pincée de macis
Sel, Hot Pepper
Huile pour friture

Pour la compotée
80 g d'oignons
80 g de poireaux
80 g de carottes
40 g de céleri-branche
80 g de potimarron
80 g de chou
80 g de champignons de Paris
2 cuil. à soupe d'huile d'olive
Sel et poivre du moulin

Préparer la compotée : éplucher et laver tous les légumes, les détailler en paysanne* et les mélanger dans un grand saladier.

Chauffer l'huile d'olive dans une grande poêle et y faire sauter tous les légumes à feu très vif pendant 3 à 4 minutes puis les débarrasser dans une cocotte, assaisonner de sel et de poivre, ajouter 1 demi-verre d'eau, couvrir d'un rond de papier sulfurisé et cuire 20 minutes à feu doux en remuant de temps en temps.

Éplucher et détailler en grosse mirepoix* les pommes de terre. Les cuire dans une casserole d'eau bouillante salée pendant 20 minutes.

Les égoutter et les sécher 5 minutes au four préchauffé à 180 °C (th. 6).

Passer les pommes de terre très chaudes au presse-purée, grille fine. Incorporer le beurre et les jaunes d'œufs. Assaisonner de sel, du macis et de Hot Pepper.

Fariner légèrement le plan de travail et façonner le premier tiers de la préparation en rouleaux de 1,5 cm de diamètre puis tronçonner des morceaux de 3 cm de long.

Dans le tiers suivant, incorporer les olives et tronçonner comme précédemment des morceaux de 3 cm de long.

Dans le dernier tiers, incorporer le persil et l'ail et réaliser des tronçons identiques aux précédents.

Battre en omelette les œufs avec l'eau et l'huile d'olive.

Paner les premiers tronçons dans la farine, les œufs battus puis le vermicelle pour réaliser les pommes frisettes.

Paner les tronçons parfumés aux olives dans la farine, les œufs battus puis les amandes hachées pour réaliser les pommes amandines.

Paner les tronçons parfumés au persil et à l'ail dans la farine, les œufs battus et la chapelure pour réaliser les pommes croquettes.

Au moment de servir, plonger les pommes frisettes, amandines et croquettes dans une friture à 180 °C. Dès qu'elles deviennent dorées, les égoutter avec une écumoire sur du papier absorbant. Servir aussitôt avec la compotée.

POMMES *de* TERRE CRAINQUEBILLE

Cette recette, qui est un grand classique, nécessite des pommes de terre assez grosses et régulières. J'ai apporté quelques légumes supplémentaires dans cette version que je cuisine.

PRÉPARATION

30 minutes

CUISSON

50 minutes à 1 heure

Pour 4 personnes

MARCHÉ

4 grosses pommes de terre
100 g de courgettes
100 g de poivron
100 g d'aubergines
150 g d'oignons
1 tomate
2 gousses d'ail
50 g de beurre
  ou 50 g de graisse végétale
  pour les vegan
1/4 de litre d'eau avec 20 g de miso
2 cuil. à soupe d'huile d'olive
1 cuil. à café d'herbe de Provence
1/2 cuil. à café de coriandre
2 feuilles de laurier
Sel fin, poivre du moulin

Sans gluten
—
VEGAN

Éplucher les pommes de terre et les rincer. Éplucher et ciseler finement les oignons. Éplucher les courgettes et les aubergines en ôtant une lanière de peau sur deux. Éplucher à l'économe et épépiner le poivron. Monder* la tomate, l'épépiner et la couper en tranches de 5 mm d'épaisseur.

Détailler en brunoise* le poivron, la courgette et l'aubergine. Hacher finement les gousses d'ail.

Dans une cocotte en fonte, faire fondre le beurre, puis rissoler sans coloration les oignons, poser dessus les pommes de terre, saler et poivrer.

Amener à ébullition l'eau avec le miso et la verser sur les pommes de terre.

Poser sur chaque pomme de terre une tranche de tomate. Ajouter le laurier, les herbes de Provence et la coriandre. Amener à ébullition sur feu vif puis enfourner la cocotte au four préchauffé à 180 °C (th. 6) pendant 50 minutes à 1 heure, jusqu'à ce qu'il n'y ait plus de liquide dans la cocotte.

Chauffer l'huile d'olive dans une poêle à feu vif, verser toutes les brunoises, baisser le feu et faire sauter quelques minutes, ajouter l'ail haché, saler et poivrer.

Répartir cette garniture autour des pommes de terre.

Portfolio

1. endive
2. courge
3. avocat
4. poireau
5. champignon
6. patate douce

c'est
l'HIVER

FEUILLES *d'*ENDIVE FARCIES
à *la* MOUSSE *de* CÉLERI

La mousse de céleri peut également vous servir à napper des canapés pour l'apéritif, à garnir des profiteroles (petits choux ronds) ou des carolines (petits choux de la forme d'un éclair).

PRÉPARATION

20 minutes

RÉFRIGÉRATION

1 heure

CUISSON

35 minutes

Pour 4 personnes

MARCHÉ

2 endives
1 cœur de céleri-branche
1 pomme verte type granny smith
12 cerneaux de noix
Ciboulette
Paprika en poudre

Pour la mousse de céleri

50 g de blanc de poireau
250 g de céleri-branche
1 gousse d'ail
20 cl de crème fraîche fouettée

30 g de beurre
35 g de farine
40 cl de lait
1 bouquet garni
4 g d'agar-agar
1 cuil. à soupe de tamari
Sel, Hot Pepper

Préparer la mousse de céleri : dans une cocotte, chauffer le beurre et faire suer* le blanc de poireau émincé et l'ail écrasé, pendant 5 minutes environ.

Ajouter la farine et remuer de temps en temps (la farine ne doit pas se colorer).

Verser le lait et amener à ébullition en remuant constamment avec un fouet.

Ajouter le céleri émincé et le bouquet garni, assaisonner de sel, de Hot Pepper et du tamari, et faire cuire environ 20 minutes à feu doux.

Passer au chinois-étamine, ajouter l'agar-agar dilué dans 3 cuillerées à soupe d'eau et donner 5 minutes de petite ébullition. Laisser refroidir à température ambiante.

Incorporer à la mousse la crème fouettée, rectifier l'assaisonnement et réserver au réfrigérateur pendant 1 heure.

Détacher une à une les feuilles des endives et garder les cœurs pour la décoration.

Avec une poche à douille, garnir de mousse de céleri les feuilles d'endive.

Présenter avec le cœur de céleri coupé en deux dans le sens de la longueur, la pomme coupée en tranches, les cerneaux de noix, la ciboulette et le paprika.

ENDIVES *en* SURPRISE

Vous pouvez composer la sauce avec d'autres variétés de champignons.

PRÉPARATION

45 minutes

CUISSON

1 heure

Pour 4 personnes

MARCHÉ

200 g de pâte feuilletée
1 jaune d'œuf (pour la dorure)
4 brochettes en bois
Quelques baies roses

Pour les endives braisées

4 endives
1/2 citron
20 g de beurre
1 cuil. à café de sucre
Sel

Pour la duxelles

200 g de champignons de Paris
40 g d'échalotes
20 g de beurre
1 cuil. à soupe de persil haché

Pour la béchamel

20 g de beurre
20 g de farine
20 cl de lait
1 pincée de macis en poudre
Sel, Hot Pepper

Pour la sauce

20 g de trompettes-de-la-mort
   séchées
80 g de lentins de chêne (shiitake)
80 g de champignons de Paris
20 g de morilles séchées
60 g d'échalotes
20 g de beurre
2 cuil. à soupe d'huile d'olive
1/2 litre de crème fraîche
1 cuil. à café d'arrow-root
1 cuil. à café de tamari
Sel, Hot Pepper

Préparer les endives braisées : laver les endives, les aligner dans un plat creux, ajouter le jus du demi-citron, le beurre, le sel et le sucre. Couvrir d'un rond de papier sulfurisé puis d'un couvercle et cuire au four préchauffé à 170 °C (th. 5-6) pendant 30 minutes (ou sur feu doux). Égoutter les endives sur une grille.

Préparer la duxelles* : ciseler finement les échalotes et les faire suer* avec le beurre. Ajouter les champignons hachés au couteau et cuire à feu moyen jusqu'à complet dessèchement.

Réaliser une béchamel en faisant un roux* blanc avec le beurre et la farine, puis verser le lait, amener à ébullition en remuant énergiquement avec un fouet. Assaisonner de sel et de Hot Pepper, ajouter le macis et cuire à petit feu 5 minutes. Mélanger à la duxelles. Ajouter le persil haché. Réserver.

Répartir la farce au centre des quatre endives et les refermer pour leur redonner leur forme initiale.

Abaisser* la pâte feuilletée sur 2 mm d'épaisseur et couper quatre rectangles égaux. Envelopper chaque endive de pâte feuilletée, les ranger sur une plaque mouillée et passer chaque portion dans le jaune d'œuf battu avec 2 cuillerées à soupe d'eau. Faire cuire au four préchauffé à 200 °C (th. 6-7) pendant 30 minutes.

Préparer la sauce : réhydrater les morilles et les trompettes-de-la-mort. Trier et laver les autres champignons.

Ciseler finement les échalotes et les faire suer avec le beurre dans une casserole. Ajouter les morilles et les trompettes-de-la-mort et cuire pendant 3 minutes environ à feu moyen en remuant de temps en temps. Faire sauter à la poêle sur feu vif les autres champignons avec l'huile d'olive pendant quelques minutes. Égoutter puis mélanger aux champignons précédents. Verser la crème fraîche, assaisonner de sel, de Hot Pepper et de tamari, cuire à petit feu environ 5 minutes et si nécessaire lier avec 1 cuillerée à café d'arrow-root dilué dans 1 cuillerée à soupe d'eau.

Prélever un champignon de chaque variété et les enfiler sur une brochette en bois. Renouveler l'opération pour obtenir quatre brochettes.

Préparer le dressage : disposer l'endive farcie au milieu, verser la sauce avec les champignons autour. Piquer la brochette de champignons sur l'endive. Décorer de baies roses.

SALADE *de* CHOUCROUTE aux ENDIVES *et aux* NOIX

La choucroute crue est excellente pour la santé, elle dynamise vos salades quotidiennes et s'associe à merveille avec le céleri, la pomme, les noix, les endives, le comté et la pomme de terre cuite en robe des champs.

PRÉPARATION
30 minutes

REFRIGÉRATION
1 heure

CUISSON
10 minutes

Pour 4 personnes

MARCHÉ
200 g de choucroute crue
100 g d'endive
80 g de cœur de céleri-branche
150 g de pousses d'épinards
25 g de julienne de potimarron, blanchie et égouttée
1 pomme elstar
1 pincée de graines de moutarde jaunes et noires
4 pincées de graines germées de radis
50 g de cerneaux de noix

Pour la sauce de salade
1 cuil. à soupe de vinaigre de cidre
1 cuil. à café de moutarde à l'ancienne
1 cébette finement émincée

1 pincée de curry
1 cuil. à café de tamari
4 cuil. à soupe d'huile d'olive
1/2 cuil. à café de sucre
Sel, Hot Pepper

Pour les croustillants
40 g de beurre
40 g de farine
20 cl de lait
1 jaune d'œuf + 1 jaune battu
1/2 camembert
80 g d'amandes hachées
1 pincée de macis en poudre
Sel fin, Hot Pepper
Huile de friture

Pour les croustillants, réaliser un roux* blanc avec le beurre et la farine. Incorporer le lait bouillant, amener à ébullition et cuire 5 minutes à petit feu. Hors du feu, incorporer un jaune d'œuf. Assaisonner avec du Hot Pepper, le macis et du sel fin.

Retirer la croûte du demi-camembert et le détailler en brunoise*. L'incorporer délicatement au roux. Placer au réfrigérateur pendant 1 heure.

Façonner ensuite des croquettes de la grosseur d'une grosse noix.

Préparer la salade de choucroute : rincer et presser la choucroute, la mettre dans un saladier. Éplucher la pomme, la couper en quartiers et l'émincer finement. Laver l'endive, la couper en deux dans le sens de la longueur et l'émincer grossièrement. Détailler en bâtonnets le cœur de céleri et l'émincer finement. Laver et essorer les pousses d'épinards (et émincer grossièrement les feuilles d'épinards si on ne dispose pas de jeunes pousses). Bien mélanger la choucroute, la pomme, l'endive, le céleri et la julienne* de potimarron.

Répartir les épinards au centre des quatre assiettes, poser dessus la salade de choucroute. Parsemer de graines de moutarde, de graines germées et de cerneaux de noix.

Préparer la sauce de salade en mélangeant tous les ingrédients.

Passer les croustillants de camembert dans de la farine, puis dans l'œuf battu avec 2 cuillerées à soupe d'eau et les amandes hachées. Juste au moment de servir, les plonger dans une friture à 200 °C jusqu'à ce qu'ils prennent une couleur blond doré puis les disposer autour de la salade de choucroute. Assaisonner la salade de sauce.

ENDIVE FARCIE *d'une* PURÉE *de* PATATE DOUCE *en* CHEMISE

Avec l'association de la patate douce, de la pomme acidulée, de la duxelles et de l'olive, l'endive, enroulée dans sa galette de sarrasin, va exprimer toutes ses saveurs. Servez avec une salade d'endives ou de mâche assaisonnée d'une huile d'olive au jus d'orange.

PRÉPARATION
20 minutes

CUISSON
40 minutes

Pour 4 personnes

Sans gluten

MARCHÉ
4 endives
200 g de patates douces
80 g de pommes acidulées, type elstar, melrose, granny smith ou reinette
80 g de potimarron
2 cuil. à soupe d'huile d'olive
Sel

Pour la cuisson des endives
30 g de beurre
1 cuil. à soupe de jus de citron
1 pincée de sucre
1 pincée de sel

Pour la duxelles
200 g de champignons de Paris
40 g d'échalotes ou d'oignons
50 g d'olives noires à la grecque
20 g de beurre
10 cl de crème de soja
1 pincée de macis en poudre
Sel, Hot Pepper

Pour la galette
80 g de farine de sarrasin
1 œuf
30 cl de lait
1 cuil. à soupe de graines de sésame
1 cuil. à soupe d'huile d'olive
1 pincée de sel

Cuire les endives comme indiqué p. 200.

Éplucher les patates douces, les émincer et les cuire à l'eau.

Détailler en brunoise* la pomme et le potimarron.

Dans une poêle chauffer l'huile d'olive et y faire sauter vivement les brunoises quelques minutes sans coloration.

Passer les patates douces au moulin à légumes et y incorporer les brunoises, rectifier l'assaisonnement.

Presser et inciser les endives puis les farcir généreusement de la purée de patates douces.

Réunir les éléments de la pâte à galettes dans un saladier, bien mélanger au fouet puis réaliser des galettes pas trop épaisses.

Préparer la duxelles* : ciseler les échalotes, concasser* les champignons, hacher les olives noires.

Faire suer* les échalotes dans le beurre puis ajouter les champignons, cuire jusqu'à complète évaporation de l'eau de végétation, verser la crème de soja, donner une ébullition, ajouter les olives, du sel, le macis et du Hot Pepper.

Répartir la duxelles sur les quatre galettes bien à plat, poser sur chacune une endive farcie et enrouler les galettes sur elle-mêmes. Déposer dans un plat à gratin beurré.

Avant de servir, passer les galettes au four préchauffé à 180 °C (th. 6) pendant 10 minutes.

PIE *de* COURGE ROUGE
aux FLAGEOLETS

*Un plat d'hiver, solide et réconfortant, auquel les herbes et les olives noires
apportent un accent du Midi. Si vous ne trouvez pas de courge rouge,
vous pouvez la remplacer par une autre variété de cucurbitacées.
Rappelons que « pie » est un terme anglais ; il désigne une préparation cuite
dans un plat à gratin et recouverte de pâte.*

PRÉPARATION

20 minutes

CUISSON

35 minutes

Pour 4 personnes

MARCHÉ

250 g de pâte feuilletée
400 g de flageolets en conserve
200 g de courge rouge
200 g de gros oignons
3 gros champignons de Paris
80 g d'olives noires de Nice
5 cl d'huile d'olive
1 branche de thym
1 branche de sarriette
1 feuille de laurier
1 jaune d'œuf (pour la dorure)
Sel, poivre

Ciseler les oignons finement. Couper la courge et les champignons en brunoise*.

Dans le faitout mettre l'huile à chauffer, faire rissoler les oignons pendant 2 à 3 minutes.

Ajouter la brunoise de courge et de champignons, couvrir, cuire 5 minutes à feu moyen
en remuant de temps en temps.

Ajouter les olives, les herbes, les flageolets et assaisonner. Amener à ébullition et retirer du feu.

Verser la préparation dans un plat à gratin pour qu'elle refroidisse.

Abaisser* la pâte feuilletée sur 3 mm d'épaisseur. La poser sur le plat à gratin en la repliant
sous les rebords et la pincer.

Battre le jaune d'œuf avec 2 cuillerées à soupe d'eau, en badigeonner la pâte.

Cuire le *pie* au four préchauffé à 200 °C (th. 6-7) pendant 25 à 30 minutes.

QUENELLES *de* SARRASIN
à la CRÈME *de* POTIRON

Le sarrasin est une excellente céréale de par sa richesse minérale, ses nombreuses vitamines et ses protéines dépourvues de gluten qui contiennent de la lysine et du tryptophane, deux précieux acides aminés.

PRÉPARATION
30 minutes

CUISSON
40 minutes
Pour 4 personnes

MARCHÉ
Pour le kacha

20 g de beurre
50 g d'oignons
100 g de kacha
1 cuil. à café de miso d'orge

Pour la panade

75 g de farine de sarrasin
75 g de farine type 65
3 blancs d'œufs
100 g de beurre
1 cuil. à soupe de ciboulette émincée
1 cuil. à café de paprika

*Pour la brunoise**

100 g de carottes
20 g de céleri
80 g de navets
80 g de potimarron
80 g de rutabaga
2 cuil. à soupe d'huile d'olive
Sel

Pour la crème de potiron

400 g de potiron
100 g d'oignons
2 gousses d'ail
20 cl de crème de riz
2 cuil. à soupe d'huile d'olive
Sel, Hot Pepper

Préparer le kacha : ciseler finement les oignons, les faire suer* dans une cocotte avec le beurre pendant 3 minutes. Ajouter le kacha et nacrer* la céréale. Mouiller une fois et demie le volume de la céréale avec l'eau et le miso. Couvrir d'un rond de papier sulfurisé et cuire 15 minutes à feu très doux.

Préparer la panade : porter un quart de litre d'eau à ébullition avec le beurre, du sel et le paprika. Baisser le feu, précipiter la farine de sarrasin et la farine de blé, mélanger énergiquement avec une spatule en bois afin de dessécher la panade. Remonter le feu et mélanger environ 2 minutes. Retirer du feu, débarrasser dans un saladier et incorporer petit à petit les blancs d'œufs. Détailler en fine brunoise* les carottes, le céleri, les navets, le potimarron et le rutabaga. Faire sauter vivement à la poêle pendant 3 minutes avec l'huile d'olive. Mélanger la panade, la brunoise, le kacha et la ciboulette. Rectifier l'assaisonnement en sel et paprika.

Façonner une vingtaine de quenelles en remplissant une cuillère à soupe bien tassée et en appliquant par-dessus une cuillère vide. Poser les quenelles sur une plaque creuse beurrée. Verser délicatement de l'eau chaude à hauteur et amener cette eau à frémissement sur feu doux. Égoutter les quenelles et les ranger dans un plat creux.

Préparer la crème de potiron : éplucher les oignons, l'ail et le potiron. Émincer les oignons et le potiron. Faire rissoler les oignons pendant 3 minutes dans une cocotte avec l'huile d'olive, ajouter l'ail puis le potiron, assaisonner de sel et de Hot Pepper, verser un demi-verre d'eau, couvrir d'un rond de papier sulfurisé et cuire à feu doux pendant 30 à 40 minutes.

Avec une cuillère à légumes ronde lever* une vingtaine de boules de potiron. Les cuire à l'eau ou à la vapeur.

Mixer finement la crème de potiron et lier à la crème de riz. Rectifier l'assaisonnement.

Répartir la crème dans le fond des assiettes, poser en étoile les quenelles et décorer de boules de potiron.

PANACHÉ *de* COURGE *en* PAPILLOTE

Cette recette va étonner vos convives en leur faisant découvrir la diversité des textures et des parfums des différentes variétés de courge.

PRÉPARATION

20 minutes

CUISSON

45 minutes

Pour 4 personnes

MARCHÉ

300 g de courges spaghetti
100 g de potimarron
100 g de butternut
100 g de potiron doux d'Hokkaïdo
100 g de courge muscade
100 g d'échalotes
5 cl d'huile d'olive
1 cuil. à soupe de persil haché, de
  cerfeuil, de coriandre et de ciboulette

1 pincée d'estragon
1 cébette émincée finement
100 g de fromage blanc
1 cuil. à café de moutarde à l'ancienne
4 œufs
Sel, poivre du moulin
4 feuilles de papier sulfurisé
  de 30 x 20 cm environ

Cuire les courges spaghetti avec la peau au four préchauffé à 180 °C (th. 6), pendant 30 minutes.

Ne pas éplucher le potimarron. Éplucher le butternut, le potiron doux d'Hokkaido et la courge muscade, les émincer en paysanne* régulière.

Mélanger avec les échalotes finement émincées en paysanne et faire sauter par petite quantité dans une poêle avec l'huile d'olive. Égoutter à chaque fois dans une grande passoire.

Verser dans saladier avec la courge spaghetti dégagée de sa peau et des graines.

Bien remuer afin que les filaments de courge spaghetti se mélangent à la préparation.

Ajouter le persil, le cerfeuil, l'estragon, la coriandre concassée, la cébette et la ciboulette émincées.

Lier avec le fromage blanc battu et la moutarde, saler et poivrer.

Disposer au milieu de chaque papillote 5 cuillerées à soupe du mélange, former un nid, casser un œuf au milieu puis refermer la papillote.

Poser les papillotes sur une plaque à rôtir et cuire au four préchauffé à 200 °C (th. 6-7) pendant 15 à 20 minutes.

Servir aussitôt, accompagné d'une céréale cuite à l'eau ou à la vapeur, d'une pomme de terre ou encore de pâtes alimentaires.

SOBA *à la* JULIENNE DE COURGE *et* SAUCE HOLLANDAISE *à* L'HUILE *d'*OLIVE

Les soba sont des spaghettis à la farine de sarrasin. On retrouve tout naturellement cette spécialité japonaise dans la cuisine macrobiotique.

PRÉPARATION
25 minutes

CUISSON
15 minutes

Pour 4 personnes

MARCHÉ
200 g de soba
300 g de courge
150 g de blancs de poireaux
2 cuil. à soupe d'huile d'olive

Pour la sauce hollandaise
50 g d'échalotes
10 cl de vin blanc
2 jaunes d'œufs
10 cl d'huile d'olive
1 cuil. à soupe de graines de tournesol, de courge, de sésame et de lin
Sel, Hot Pepper

Détailler en julienne* la courge et les blancs de poireaux, les mélanger.

Dans une cocotte, chauffer l'huile d'olive, ajouter la julienne de légumes, bien mélanger, saler, couvrir d'un rond de papier sulfurisé et cuire 4 minutes à feu doux.

Ajouter 4 cuillerées à soupe d'eau et cuire sans coloration 8 minutes supplémentaires.

Préparer la sauce hollandaise : faire réduire le vin blanc avec les échalotes finement ciselées puis retirer du feu et ajouter les jaunes d'œufs (il doit rester 2 cuillerées à soupe de liquide. Si la réduction est totale, ajouter avec les jaunes 2 cuillerées à soupe d'eau).

Monter* en sabayon les jaunes : les fouetter énergiquement dans un bain-marie jusqu'à ce que la préparation devienne mousseuse et épaississe. Retirer alors le récipient du bain-marie, fouetter légèrement pour abaisser la température et verser petit à petit l'huile d'olive en fouettant constamment, assaisonner de sel et de Hot Pepper.

Cuire les soba dans de l'eau bouillante salée, puis les égoutter, les mélanger aux juliennes et lier avec la sauce montée à l'huile d'olive.

Torréfier* à sec les graines, en parsemer les soba et servir aussitôt.

BARBAJOUAN *et* COMPOTÉE *de* LÉGUMES *à* POT-*au*-FEU

Les « barbajouan » sont une spécialité de la région niçoise : il s'agit de gros raviolis cuits au four ou en friture. On les farcit l'hiver avec de la courge rouge et l'été avec des verts de blettes.

PRÉPARATION
20 minutes

REPOS
1 à 2 heures + 30 minutes

CUISSON
45 minutes

Pour 4 personnes

MARCHÉ

Pour la pâte
200 g de farine
15 g de levure du boulanger
5 g de sel
5 g de sucre
10 cl d'eau
4 cl d'huile d'olive

Pour la farce
200 g de courge
50 g de riz
30 g de parmesan râpé
2 jaunes d'œufs
Sel, Hot Pepper

Pour la compotée de légumes
100 g d'oignons
100 g de poireaux
150 g de carottes
100 g de navets
100 g de courge
80 g de céleri-rave
150 g de pommes de terre
2 cuil. à soupe d'huile d'olive
1 pincée de thym frais ou séché
1 pincée de sarriette en poudre
Sel, Hot Pepper

Préparer la farce : éplucher la courge, la détailler en gros morceaux et la plonger dans une eau salée à vive ébullition. Dès que la courge devient tendre et qu'une lame de couteau pénètre facilement, l'égoutter et l'écraser vivement avec une fourchette.

Cuire le riz à l'anglaise*.

Dans un saladier réunir la courge, le riz, le parmesan et les jaunes d'œufs, mélanger au fouet et assaisonner de sel et de Hot Pepper.

Diluer la levure dans l'eau tiède. Réunir dans un saladier tous les ingrédients de la pâte et travailler avec une main afin d'obtenir une pâte très homogène. La mettre à lever pendant 1 heure ou 2 à température ambiante, recouverte d'un linge humide ou de film alimentaire pour éviter qu'elle sèche.

Préparer la compotée de légumes : éplucher, laver tous les légumes et les émincer en paysanne*, ne pas mélanger les oignons et les poireaux.

Dans une cocotte, chauffer l'huile d'olive et y faire rissoler les oignons et les poireaux pendant quelques minutes. Réunir tous les autres légumes dans un saladier, ajouter le sel, le Hot Pepper, le thym et la sarriette, mélanger. Verser le tout dans la cocotte, ajouter un demi-verre d'eau, couvrir d'un rond de papier sulfurisé et cuire à feu doux pendant 45 minutes.

Abaisser* finement la pâte, découper des cercles de 10 cm de diamètre, badigeonnez d'eau avec un pinceau, poser 1 grosse cuillerée à soupe de farce, refermer en pressant les bords et laisser reposer 30 minutes sur un plateau fariné.

Plonger avant de servir dans une friture à 180 °C, bien dorer les deux faces, égoutter et servir sur la compotée de légumes.

RIZ ROUGE *de* CAMARGUE
et COURGE *à la* CRÈME *d'*AIL

Le riz rouge, qui pousse en Camargue, est un excellent riz mais il reste mal connu.

PRÉPARATION
20 minutes
CUISSON
45 minutes
Pour 4 personnes

MARCHÉ
800 g de courge bien rouge
5 gousses d'ail hachées + 2 têtes
5 cl d'huile d'olive + 1 filet
100 g de farine
1/2 litre de lait
1 pincée de macis en poudre
Sel, Hot Pepper
2 tours de moulin à poivre

Pour le riz rouge
200 g de riz rouge
100 g d'oignons
200 g de potiron
100 g de champignons de Paris
20 g de miso d'orge
2 cuil. à soupe d'huile d'olive
1/2 cuil. à café d'herbes de Provence
Sel, Hot Pepper

Éplucher la courge, la détailler en macédoine* et la passer dans la farine.

Dans une poêle, chauffer l'huile d'olive et y faire rissoler les cubes de courge jusqu'à l'obtention d'une coloration, ajouter les cinq gousses d'ail hachées, poivrer et verser dans un plat à gratin.

Assaisonner le lait de sel, du macis et de Hot Pepper. Verser le lait sur les cubes de courge et les passer au four préchauffé à 180 °C (th. 6) pendant 45 minutes.

Dans une plaque à rôtir, répartir les gousses des deux têtes d'ail non épluchées, bien à plat, verser un filet d'huile d'olive et passer au four pendant 20 minutes à 180 °C.

Préparer le riz rouge : ciseler les oignons et détailler en brunoise* le potiron et les champignons.

Dans une cocotte, chauffer l'huile d'olive, y faire rissoler à feu vif les oignons avec les herbes de Provence puis ajouter les brunoises, mélanger pendant 3 minutes.

Verser ensuite le riz, bien nacrer* et mouiller avec un demi-litre d'eau et le miso dilué.

Assaisonner de sel et de Hot Pepper, amener à ébullition, couvrir d'un rond de papier sulfurisé et cuire 35 à 40 minutes à petit feu.

Servir ensemble quelques cuillerées à soupe de riz, de gratin et trois à quatre gousses d'ail en chemise.

Avocat

Fruit de l'avocatier, arbre originaire d'Amérique du Sud, l'avocat est consommé
là-bas comme un fruit, avec du sucre.
Sa consommation, en France, remonte seulement à une cinquantaine d'années.
Aujourd'hui, la Corse développe une forte production mais elle reste insuffisante
pour la consommation hexagonale.
L'avocat est mûr quand la peau s'enfonce légèrement sous la pression du doigt.
Il est généralement consommé en entrée, nature ou avec une sauce vinaigrette.
Attention, quand il est coupé, il s'oxyde très rapidement à l'air. Pour éviter
qu'il noircisse, enduisez sa surface de jus de citron.
Dans les préparations cuisinées, il doit être arrivé à parfaite maturité.
Très riche en provitamine A, il contient également de la vitamine E,
du potassium, du magnésium et de la lécithine.

CRÈME *d'*AVOCAT *aux* FLEURS *de* MIMOSA

La gastronomie française n'utilise que rarement des fleurs dans sa cuisine,
à l'exception des fleurs de courge dans la région niçoise, mais aujourd'hui
de plus en plus de chefs s'en inspirent.

PRÉPARATION
20 minutes

CUISSON
30 minutes

RÉFRIGÉRATION
1 heure

Pour 4 personnes

MARCHÉ
2 avocats bien mûrs
4 cuil. à café de fleurs de mimosa
1 cuil. à soupe de jus de citron
20 cl de crème fraîche
1 cuil. à soupe de tamari
1/2 cuil. à café de gingembre en poudre
1 pincée de macis en poudre
Sel, Hot Pepper

Pour le velouté
2 gousses d'ail
1 cuil. à café de miso d'orge
30 g de beurre
30 g de farine
1 bouquet garni
1 litre d'eau

Préparer le velouté : dans une casserole faire fondre le beurre, ajouter la farine en mélangeant bien le tout. Cuire quelques minutes sans laisser prendre couleur puis verser l'eau petit à petit, et amener à ébullition sans cesser de fouetter.

Ajouter le miso, le bouquet garni et l'ail épluché et écrasé. Laisser cuire 30 minutes à feu doux.

Passer le tout au chinois-étamine, laisser refroidir et mettre au réfrigérateur pendant 1 heure.

Éplucher et mixer les avocats avec le jus de citron.

Ajouter, toujours en mixant, le velouté très frais puis le macis, du Hot Pepper, le gingembre, le tamari, du sel et la crème fraîche. Goûter et rectifier l'assaisonnement si nécessaire.

Verser la préparation dans les assiettes de service glacées, décorer de fleurs de mimosa.

Servir très frais.

PARFAIT *d'*AVOCAT *aux* ALGUES

C'est une préparation qui se réalise plutôt la veille en raison des éléments gélifiants qui demandent un certain temps de prise.
Les palettes de couleur qui entrent dans la composition de cette recette ouvriront l'appétit de vos convives.

PRÉPARATION
30 minutes

CUISSON
25 minutes

Pour 4 personnes

VEGAN

MARCHÉ
Pour la crème anglaise
2 avocats bien mûrs
3 jaunes d'œufs
1 cuil. à soupe de jus de citron
1/4 de litre de lait végétal
8 g d'agar-agar
1 cuil. à café de tamari
4 branches de cerfeuil
Sel, Hot Pepper

Pour la crème de butternut
300 g de butternut
50 g d'oignons
1 gousse d'ail

Le jus de 1/2 citron
1/2 cuil. à café de zeste d'orange en poudre
1/2 cuil. à café de gingembre en poudre
1/2 cuil. à café de sucre
1 cuil. à café de tamari
2 cuil. à soupe d'huile d'olive + 10 cl
Sel, Hot Pepper

Pour la garniture aux algues
12 spaghettis de la mer
3 g d'algues iziki
3 g de salade de la mer
3 g de dulce

Réhydrater séparément les algues.

Préparer la crème anglaise : chauffer le lait végétal avec l'agar-agar préalablement mélangé a u fouet et le verser petit à petit sur les jaunes d'œufs. Remuer constamment avec une spatule en bois. Quand la crème nappe bien la spatule, retirer très vite du feu (attention, il ne faut surtout pas d'ébullition) et passer au chinois-étamine. Mixer cette crème avec les deux avocats et le jus de citron et assaisonner de sel, de Hot Pepper et de tamari. Garnir quatre ramequins de cette préparation et réserver au réfrigérateur.

Égoutter les algues, plonger les spaghettis de la mer dans une grande friture à 180 °C et les égoutter sur du papier absorbant.

Éplucher et émincer les oignons et le butternut, éplucher la gousse d'ail.

Chauffer 2 cuillerées à soupe d'huile d'olive dans une cocotte et y faire rissoler les oignons 4 à 5 minutes, ajouter l'ail écrasé puis le butternut, saler, ajouter du Hot Pepper, le gingembre et le zeste d'orange. Couvrir d'un rond de papier sulfurisé et cuire à feu doux 35 à 45 minutes (il ne doit plus rester d'eau de végétation).

Débarrasser dans un mixeur, ajouter le tamari, le sucre, le jus du demi-citron et émulsionner en versant les 10 cl d'huile d'olive, rectifier l'assaisonnement.

Napper le fond de chaque assiette avec la crème de butternut froide. Démouler au milieu un parfait d'avocat, piquer dessus trois spaghettis de la mer frits, décorer avec des branches de cerfeuil et les algues.

PENNE *au* CITRON
et à la CRÈME *d*'AVOCAT

Rafraîchissante et colorée, cette recette séduira les inconditionnels des pâtes !
Si vous avez des papillons ou des macaronis, cette préparation conviendra
tout aussi bien.

PRÉPARATION
20 minutes

CUISSON
12 minutes
Pour 4 personnes

MARCHÉ
400 g de penne
1 citron
1 cuil. à café de zeste de citron
  en poudre
4 cuil. à soupe d'huile d'olive

Pour la crème d'avocat

2 avocats mûrs
15 cl d'eau
10 cl d'huile d'olive
2 cébettes
1/2 cuil. à café de sucre
1 cuil. à café de tamari
Sel, Hot Pepper

VEGAN

Cuire les penne dans de l'eau bouillante salée : la cuisson doit être *al dente*.

Égoutter les pâtes, les verser dans une cocotte et mélanger avec les 4 cuillerées à soupe d'huile d'olive afin d'éviter qu'elles collent entre elles.

Râper finement le zeste du citron (réserver le jus), ajouter le zeste en poudre, bien mélanger et chauffer 2 minutes sur le feu. Réserver.

Dans un mixeur mélanger les avocats épluchés, du Hot Pepper, le jus du citron, l'eau, l'huile d'olive, le sucre, les cébettes émincées et le tamari. Saler et mixer afin d'obtenir une crème très onctueuse. Rectifier l'assaisonnement.

Verser la crème d'avocat sur les penne, bien mélanger et parsemer d'une julienne de zestes de citron blanchis.

*Sans
gluten*

BROCHETTE *d*'AVOCAT
et de PAMPLEMOUSSE, RAÏTA *au* CURRY

*Le pamplemousse est beaucoup plus consommé dans les pays anglo-saxons
en entrée, tout comme l'avocat dont la mode est arrivée chez nous seulement
dans les années 1960…*

PRÉPARATION

25 minutes
Pour 4 personnes

MARCHÉ

2 avocats
2 pamplemousses
1 citron
8 brochettes en bambou

Pour le raïta

1 yaourt nature
1 cuil. à café de mangue, d'ananas,
  de pomme et de banane en fine
  brunoise

1 cuil. à café de raisins secs
1 cuil. à café de noix de coco râpée
1 cuil. à café d'oignons ciselés
Le jus de 1/2 citron
1 cuil. à café de tamari
1 cuil. à café du mélange : curry,
  cardamome, gingembre et curcuma
Sel

Peler* les pamplemousses à vif et retirer les suprêmes en les détachant des alvéoles avec un couteau.

Éplucher et détailler les avocats en quartiers (de la grosseur des suprêmes de pamplemousse),
les citronner.

Enfiler sur les brochettes en alternant deux morceaux de pamplemousse puis deux morceaux d'avocat.

Dans un saladier, mélanger au fouet le yaourt avec du sel, le jus du demi-citron, le tamari et les épices.

Retirer le fouet, ajouter tous les fruits et les légumes et mélanger à la spatule.

Servir avec un bouquet de salade, deux brochettes et 2 cuillerées à soupe de raïta.

OIGNONS FARCIS *à la* MEXICAINE

La cuisine mexicaine repose en partie sur le maïs, le haricot, l'avocat et le riz.
Avec cette recette, c'est un peu du Mexique que vous mettez sur votre table !

PRÉPARATION
30 minutes

CUISSON
40 minutes

Pour 4 personnes

MARCHÉ
4 oignons, blancs de préférence
1 avocat
1 cébette
150 g de haricots blancs cuits,
   en boîte
100 g de grains de maïs en boîte
80 g de riz semi-complet
30 g de miso d'orge
4 cuil. à soupe d'huile d'olive
1 cuil. à café de piment d'Espagne
1 cuil. à café de coriandre fraîche
Sel, Hot Pepper

Sans gluten
—
VEGAN

Éplucher et couper les oignons en deux dans le sens de la largeur. Les plonger dans de l'eau bouillante salée pendant 8 minutes puis dans une eau glacée et les égoutter.

Évider les oignons en retirant la partie centrale, puis détacher les cavités afin d'en obtenir trois ou quatre. Les disposer dans un plat à gratin préalablement huilé.

Préparer la farce : concasser* finement les parties retirées des oignons.

Cuire le riz à l'anglaise*.

Détailler en petite brunoise* l'avocat.

Dans une cocotte, chauffer l'huile d'olive, y faire rissoler les oignons concassés pendant
5 minutes, retirer du feu, ajouter les haricots blancs finement mixés, les grains de maïs et le riz parfaitement égouttés, la brunoise d'avocat, saler, ajouter le Hot Pepper, le piment, la coriandre hachée et la cébette finement émincée. Bien mélanger, rectifier l'assaisonnement.

Garnir une poche à douille et farcir généreusement tous les oignons.

Diluer le miso dans un quart de litre d'eau bouillante et verser ce liquide dans la plaque
des oignons farcis.

Recouvrir d'un papier sulfurisé huilé et cuire au four préchauffé à 180 °C (th. 6)
pendant 30 à 40 minutes.

GNOCCHIS *à la* PARISIENNE
aux AVOCATS

Les gnocchis à la parisienne sont réalisés à partir d'une pâte à choux.
Selon son mode de cuisson (au four ou en friture), cette pâte à choux sert
également à confectionner des gougères ou des beignets.

PRÉPARATION
30 minutes

CUISSON
50 minutes

Pour 4 personnes

MARCHÉ
Pour la pâte à choux

1 avocat
100 g de beurre
150 g de farine
4 à 5 œufs
1/4 de litre d'eau
1 pincée de sel
2 cuil. à soupe de parmesan
  ou de chapelure

Pour la sauce

80 g d'oignons émincés
2 avocats
Le jus de 1/2 citron
30 g de beurre
30 g de farine
1/2 litre de lait
1/2 cuil. à café de miso d'orge
1 clou de girofle
1 pincée de macis en poudre
Sel, Hot Pepper

Préparer la pâte à choux : dans une casserole mettre l'eau et le beurre en morceaux avec une pincée de sel, amener à ébullition. Quand le beurre est entièrement fondu, précipiter la farine et mélanger vigoureusement sur le feu : la pâte doit se détacher des parois de la casserole et de la spatule.

Retirer du feu, débarrasser dans un saladier et incorporer les œufs un par un avec la spatule.

Détailler l'avocat en fine brunoise* et le mélanger dans la pâte à choux.

Dans de l'eau salée en ébullition, pocher des morceaux de pâte à choux soit avec une poche à douille, soit avec 2 cuillères à café. Quand les gnocchis remontent en surface, les retirer avec une écumoire et les plonger dans une eau glacée.

Préparer la sauce : faire fondre le beurre dans une casserole, ajouter la farine et cuire le roux* sans coloration pendant 3 à 4 minutes.

Ajouter le lait et mélanger avec un fouet jusqu'à ébullition.

Incorporer les oignons, du sel, du Hot Pepper, le macis, le miso et le clou de girofle, cuire 20 minutes à petit feu.

Passer au chinois et mixer avec la chair des deux avocats et le jus du demi-citron, rectifier l'assaisonnement et la consistance en ajoutant un peu d'eau.

Beurrer un plat à gratin, égoutter délicatement les gnocchis et les ranger côte à côte dans le plat. Napper de la sauce, saupoudrer de parmesan ou de chapelure et cuire au four préchauffé à 180 °C (th. 6) pendant 30 à 35 minutes.

Poireau

Originaire d'Orient, le poireau est un légume très ancien. D'ailleurs, Égyptiens
et Romains le tenaient en grande estime.
Il existe de nombreuses variétés suivant les saisons.
En cuisine classique, le poireau est rarement utilisé comme élément principal,
il entre davantage dans la composition des soupes ou sert de condiment
pour les fonds.
Anatole France disait : « Le poireau, c'est l'asperge du pauvre. »
Par ses propriétés digestives, le poireau est bénéfique pour la santé.

TRONÇONS *de* POIREAUX *en* MEURETTE, POMMES NOISETTE

La meurette, qui est une spécialité bourguignonne, est une matelote de poissons préparée au vin rouge. Ici, le poireau remplace le poisson mais c'est bien une sauce au vin rouge qui compose ce plat.

PRÉPARATION
30 minutes

CUISSON
30 minutes
Pour 4 personnes

MARCHÉ
600 g de blancs de poireaux
    moyens
100 g d'oignons
100 g de carottes
2 gousses d'ail
1 cuil. à soupe de queues
    de persil
2 feuilles de laurier
1 branche de thym
2 cuil. à soupe d'huile d'olive
Sel, poivre du moulin

Pour la garniture

200 g d'oignons
200 g de champignons
    de Paris boutons
1 gousse d'ail
20 g de beurre
2 cuil. à soupe d'huile d'olive
200 g de pain baguette
1/2 cuil. à café de sucre
Sel

Pour la sauce au vin

4 œufs
1/2 litre de vin rouge
15 g de beurre pommade
15 g de farine
1 cuil. à café de miso

Pour les pommes noisette

500 g de pommes de terre
5 cl d'huile d'olive
1 cuil. à soupe de persil haché
Sel

Pocher les œufs 3 à 4 minutes dans le vin rouge à ébullition. Les retirer avec une écumoire et les plonger dans une eau glacée. Réserver le vin.

Couper les poireaux en tronçons de 3 cm de longueur, les plonger dans de l'eau bouillante salée pendant 5 minutes. Émincer les queues de persil, puis en paysanne*, les oignons et les carottes.

Dans une cocotte, chauffer l'huile d'olive, y faire rissoler les oignons, les carottes, l'ail, le laurier et le persil pendant 5 minutes puis ajouter les tronçons de poireaux blanchis, mélanger et laisser mijoter 5 minutes puis mouiller avec le vin rouge qui a servi à pocher les œufs, avec le miso dilué. Saler, poivrer, couvrir d'un rond de papier sulfurisé et cuire 15 minutes à petit feu.

Toaster de fines tranches de baguette arrosées d'un filet d'huile d'olive au four préchauffé à 180 °C (th. 6) jusqu'à ce qu'elles soient blond doré puis frotter d'ail légèrement chaque tranche.

Détailler l'oignon en petite mirepoix*. Dans une casserole mettre l'oignon, ajouter le beurre, du sel et le sucre, recouvrir d'eau à hauteur des oignons, couvrir d'un rond de papier sulfurisé et cuire jusqu'à disparition du liquide.

Laver les petits champignons, les faire sauter à la poêle très rapidement avec un peu d'huile d'olive, saler et égoutter dans une passoire. Disposer les poireaux cuits dans un plat de service, répartir les champignons dessus et les oignons glacés.

Toaster la farine dans une plaque au four préchauffé à 160 °C (th. 5-6) pendant une quinzaine de minutes.

Mélanger dans un bol le beurre pommade et la farine toastée froide.

Passer la sauce au chinois dans une casserole, amener à ébullition et lier avec le beurre manié, mélanger au fouet. Rectifier l'assaisonnement en sel et en poivre.

Poser les œufs égouttés sur les poireaux, napper le tout avec la sauce au vin rouge, poivrer et parsemer de persil haché.

Avec une cuillère à légumes ronde lever* les pommes noisette. Dans une casserole recouvrir les pommes noisette d'eau froide, amener à ébullition puis égoutter.

Chauffer l'huile d'olive dans une cocotte à feu fort, verser les pommes noisette et les colorer pendant 5 à 6 minutes, saler, baisser le feu, couvrir avec un couvercle et prolonger la cuisson de 8 minutes. Servir les pommes noisette avec les poireaux en meurette.

POIREAUX FARCIS *au* MILLET *sur une* COMPOTÉE *de* POTIRON

Les poireaux, coupés en tronçons de 6 à 7 cm de longueur, tiennent lieu de cannellonis. Le millet peut être remplacé par n'importe quelle farce et la compotée de potiron par une sauce tomate, une sauce aux champignons ou au fromage.

PRÉPARATION
30 minutes

CUISSON
50 minutes

Pour 4 personnes

MARCHÉ
800 g de gros poireaux
100 g d'oignons
150 g de millet
50 g de raisins secs
50 g de pignons
1/2 cuil. à café de miso d'orge
20 cl d'eau
2 cuil. à soupe d'huile d'olive
Sel, Hot Pepper

Pour la compotée de potiron
600 g de potiron
100 g d'oignons
4 gousses d'ail
2 cuil. à soupe d'huile d'olive
1/2 cuil. à café d'herbes de Provence
1 pincée de coriandre
Sel, Hot Pepper

Nettoyer et retirer les parties les plus vertes des poireaux. Couper des tronçons de 6 à 7 cm de longueur. Plonger les tronçons de poireau dans de l'eau bouillante salée pendant 7 à 8 minutes, rafraîchir et égoutter.

Ciseler finement les oignons. Dans une cocotte chauffer l'huile d'olive et y faire rissoler les oignons pendant 3 à 4 minutes.

Ajouter le millet, le nacrer* pendant 1 à 2 minutes, puis mettre les raisins secs, mouiller avec le miso dilué dans l'eau, amener à ébullition, assaisonner de sel et de Hot Pepper, couvrir d'un rond de papier sulfurisé et cuire à feu doux et à couvert pendant 15 minutes.

Retirer du feu, laisser gonfler pendant 10 minutes, puis égrainer et incorporer les pignons torréfiés*.

Préparer la compotée de potiron : éplucher les oignons, le potiron et les gousses d'ail. Émincer les gousses d'ail. Détailler en paysanne* les oignons et le potiron.

Dans une cocotte, chauffer l'huile d'olive, y ajouter les oignons et l'ail, faire rissoler pendant 4 minutes. Ajouter les herbes de Provence et la coriandre, bien mélanger. Incorporer le potiron, assaisonner de sel et de Hot Pepper.

Verser un demi-verre d'eau, couvrir d'un rond de papier sulfurisé et cuire à feu doux pendant 30 minutes.

Verser la compotée de potiron dans un plat à gratin.

Agrandir les cannellonis de poireaux en retirant deux ou trois enveloppes intérieures et remplir les cavités de millet. Disposer les cannellonis farcis sur la compotée de potiron. Recouvrir d'un papier sulfurisé huilé et finir de cuire au four préchauffé à 180 °C (th. 6) pendant 20 à 30 minutes.

TEMPURA *de* POIREAUX, SAUCE TARTARE

D'origine japonaise, le tempura est un beignet très léger grâce à l'association de farine de sarrasin, de maïs et de blé complet, et à l'arrow-root. Les longs filaments de la racine de poireau vont étonner vos convives et faire vibrer leurs papilles gustatives.

PRÉPARATION

20 minutes

CUISSON

5 à 6 minutes

Pour 4 personnes

MARCHÉ

1 kg de petits poireaux très frais
   avec les racines

Pour la pâte à frire

50 g de farine de maïs
50 g de farine de blé
50 g de farine de sarrasin
1 cuil. à soupe d'arrow-root
1 cuil. à café de graines de sésame
1 cuil. à café de graines de tournesol
20 cl d'eau
Sel

Pour la sauce tartare

50 g d'oignons ciselés
1 jaune d'œuf
1 œuf dur haché
20 cl d'huile de tournesol
1 cuil. à café de vinaigre de vin
1 cuil. à café de moutarde
1 cuil. à soupe de ciboulette émincée
Sel, Hot Pepper

Couper le pied des poireaux à 2 cm du haut, les brosser dans l'eau afin d'éliminer la terre, laisser tremper quelques heures si nécessaire.

Plonger les poireaux dans de l'eau bouillante salée environ 10 minutes, les retirer et les refroidir immédiatement dans une eau froide. Les égoutter et bien les sécher avec du papier absorbant.

Préparer la pâte à frire : dans un saladier, réunir les trois farines, l'arrow-root, du sel et les graines. Mélanger en versant au fur et à mesure l'eau tiède afin d'obtenir une pâte lisse un peu plus épaisse qu'une pâte à crêpes.

Passer chaque racine de poireau dans la pâte à frire et cuire dans une grande friture à 180 °C, retirer dès que toutes les faces ont bien doré. Égoutter sur du papier absorbant.

Préparer la sauce tartare : dans un petit saladier placer le jaune d'œuf, la moutarde, du sel, le vinaigre et le Hot Pepper, mélanger au fouet, incorporer l'huile de tournesol, puis ajouter l'œuf dur haché, les oignons ciselés et la ciboulette émincée, rectifier l'assaisonnement.

Disposer trois ou quatre beignets par assiette, accompagnés de 2 à 3 cuillerées à soupe de sauce tartare.

LÉGUMES *à* POT-AU-FEU *en* AÏOLI

Avec les légumes à pot-au-feu nous sommes en pleine saison des légumes d'hiver.
L'aïoli ou « aïoli » est une préparation provençale qui est servie généralement
avec de la morue et des escargots de mer, accompagnés de légumes cuits.

PRÉPARATION

20 minutes

CUISSON

25 minutes

Pour 4 personnes

MARCHÉ

4 pommes de terre moyennes
4 petites carottes
4 petits oignons
4 blancs de poireaux
4 morceaux de céleri-rave
4 petits navets
4 petits panais
4 gousses d'ail
4 cébettes
4 œufs
Gros sel
4 brochettes en bambou

Pour l'aïoli

2 gousses d'ail hachées
Le jus de 1/2 citron
1 jaune d'œuf
1 cuil. à café de moutarde
25 cl d'huile d'olive
Sel, poivre

Sans gluten

Éplucher et laver tous les légumes, éplucher l'ail.

Dans une eau bouillante salée (compter 15 g de gros sel au litre) faire cuire les pommes de terre, les carottes, les oignons, les poireaux, le céleri, les navets, les panais, et les gousses d'ail pendant 20 minutes sur feu moyen.

Cuire à part dans de l'eau à ébullition les œufs pendant 10 minutes afin qu'ils soient durs. Les rafraîchir sous une eau glacée puis les écaler.

Enfiler tous les légumes cuits (sans les couper) sur les brochettes en alternant les couleurs. Réserver au chaud.

Préparer l'aïoli : dans un bol mettre la moutarde, le sel, le poivre, le jus du demi-citron, l'ail, le jaune d'œuf, mélanger au fouet puis commencer à verser l'huile d'olive d'abord goutte à goutte, tout en continuant de fouetter, puis en filet dès que la mayonnaise devient plus ferme.

Goûter et rectifier l'assaisonnement si nécessaire.

Servir aussitôt avec les légumes chauds, les œufs durs et les cébettes entières.

Champignon

*Il existe deux catégories de champignons comestibles : ceux qui sont cultivés
et ceux qui poussent en pleine nature. Ces derniers sont des champignons sylvestres
(cèpes, lactaires délicieux, trompettes-de-la-mort, morilles…) que l'on cueille soi-même,
de septembre aux premières gelées. Sur les marchés, on trouve toute l'année
des pleurotes, des lentins de chêne (ou shiitake) et des champignons de Paris,
dits « de couche », blancs et crème (les crème sont plus goûteux). Dans mes recettes,
j'associe souvent ces trois variétés.
Les champignons sont riches en vitamines, en minéraux et en acides aminés.*

Préparation des champignons :
Les champignons se lavent au dernier moment.
Couper les bouts terreux puis rassembler les champignons dans une bassine et les brasser
vigoureusement dans l'eau fraîche pour éliminer la terre ou le sable. Renouveler l'opération
deux ou trois fois, sans les laisser séjourner dans l'eau.

Sans gluten
—
VEGAN

CHAMPIGNONS *aux* ÉPICES

Si vous réalisez cette recette deux à trois jours à l'avance, elle n'en sera que meilleure.
Servez à température ambiante afin que vos papilles puissent découvrir le délicieux
mélange des épices. Je recommande d'accompagner ces champignons de toasts
au beurre d'échalotes !

PRÉPARATION
20 minutes

CUISSON
10 minutes

Pour 4 personnes

MARCHÉ
100 g de champignons de Paris
100 g de pleurotes
100 g de lentins de chêne (shiitake)
100 g de trompette-de-la-mort
100 g de girolles
80 g d'échalotes
1/2 gousse d'ail hachée
10 cl d'huile d'olive
5 cl de vinaigre de cidre
1 cuil. à soupe de tamari
1 pincée de cannelle
1 pincée de cardamome
1 pincée de gingembre
1 pincée de coriandre

1 pincée d'herbes de Provence
2 feuilles de laurier
1 branche de sarriette
1 branche de thym
2 clous de girofle
Sel

Pour le dressage

4 branches de cerfeuil
4 branches de cresson
4 branches de céleri
1 cuil. à soupe de graines de tournesol
1 cuil. à soupe de graines de courge

Trier et laver les champignons, les couper en deux ou en quatre s'ils sont trop gros.

Éplucher et ciseler finement les échalotes.

Dans une grande poêle, mettre à chauffer 5 cl d'huile d'olive. Quand l'huile est fumante, y précipiter tous les champignons, remuer avec une spatule pendant 3 minutes puis égoutter le tout dans une passoire.

Ajouter dans la poêle 5 cl d'huile d'olive, y faire revenir les échalotes et l'ail, puis ajouter les champignons égouttés avec les aromates et les épices, saler et cuire 3 minutes à feu vif.

Verser le tamari, laisser mijoter 1 minute, ajouter le vinaigre et laisser cuire vivement pendant 2 minutes.

Répartir dans quatre assiettes en arrosant de jus de cuisson. Décorer de branches de cerfeuil, de cresson et de céleri. Parsemez de graines de tournesol et de courge légèrement torréfiées*.

ESCALOPINES
de CHAMPIGNONS *à l'*ITALIENNE

C'est toute l'Italie qui chante à travers ce plat : les spaghettis, la tomate concassée, les zestes d'orange et de citron, le parmesan et les champignons panés qui rappellent les escalopes de veau panées...

PRÉPARATION
25 minutes
CUISSON
40 minutes
Pour 4 personnes

MARCHÉ
4 très gros champignons de Paris
250 g de spaghettis
30 g de parmesan
30 g de beurre
50 g de farine
1 œuf
100 g de chapelure
   ou de mie de pain
2 cuil. à soupe d'huile d'olive
Sel et poivre

Pour les tomates concassées
300 g de tomates
80 g d'oignons
1 gousse d'ail
1 bouquet garni

1 cuil. à soupe d'huile d'olive
1 pincée de sucre
Sel et poivre

Pour la béchamel
10 g de beurre
10 g de farine
25 cl de lait

Pour la sauce
100 g d'oignons
1 zeste d'orange
1 zeste de citron
4 cuil. à soupe de vermouth blanc sec
5 g de beurre

Préparer les tomates concassées : éplucher et ciseler les oignons. Hacher l'ail. Monder*, épépiner et concasser* les tomates. Dans une casserole faire chauffer l'huile d'olive et faire revenir sur feu moyen les oignons et la gousse d'ail avec le bouquet garni. Laisser mijoter 5 minutes puis ajouter les tomates, le sucre, du sel et du poivre et laisser cuire encore 20 minutes.

Préparer la béchamel : dans une casserole faire fondre le beurre, ajouter la farine, mélanger et laisser cuire à petit feu pendant 5 minutes sans coloration puis verser le lait petit à petit sans cesser de fouetter. Amener à ébullition et laisser 10 minutes sur feu doux. Réserver au chaud.

Préparer la sauce : éplucher et ciseler les oignons. Hacher finement les zestes d'orange et de citron. Dans une casserole faire fondre le beurre, y faire suer* les oignons, ajouter les zestes puis déglacer* au vermouth. Ajouter les tomates concassées et la béchamel et laisser mijoter 10 minutes sur feu très doux. Goûter et rectifier l'assaisonnement si nécessaire. Réserver au bain-marie.

Faire cuire les spaghettis *al dente* dans de l'eau bouillante salée, les égoutter et ajouter le beurre.

Laver les champignons, les couper en tranches de 3 mm d'épaisseur, puis les passer successivement dans la farine, l'œuf battu avec 2 cuillerées à soupe d'eau et la chapelure. Faire dorer sur feu moyen les tranches de champignon à la poêle dans l'huile d'olive quelques minutes. Saler et poivrer. Égoutter sur du papier absorbant.

Sur des assiettes individuelles, disposer un peu de spaghettis, les escalopines de champignons, napper de sauce et saupoudrer de parmesan.

CURRY *de* CHAMPIGNONS
et RIZ *à l'*INDIENNE

*Le raïta est une sauce indienne à base de yaourt qui accompagne des salades
ou des plats cuisinés. Dans cette recette, il intervient en élément de liaison.*

PRÉPARATION

30 minutes

CUISSON

35 minutes

Pour 4 personnes

*Sans
gluten*

MARCHÉ

150 g d'oignons
200 g de poireaux
1 branche de céleri
200 g de champignons de Paris
200 g de pleurotes
150 g de lentins de chêne (shiitake)
1 gousse d'ail
80 g de pomme
80 g de banane
100 g de tomates concassées en boîte
5 cl d'huile d'olive
10 cl de crème de soja
1 cuil. à café de curry en poudre
1/2 cuil. à café de gingembre en poudre
1/2 cuil. à café de cardamome
   en poudre
1/2 cuil. à café de curcuma en poudre
Sel

Pour le riz

80 g d'oignons finement ciselés
200 g de riz semi-complet
30 cl d'eau + 1/2 cuil. à café de miso
1 yaourt nature
2 cuil. à soupe d'huile d'olive
1 pincée de gingembre en poudre
1 pincée de cannelle en poudre
1 pincée de macis en poudre
50 g d'amandes effilées
30 g de raisins secs
1/2 cuil. à café de graines de pavot
Sel

Préparer le curry de champignons : détailler en petite mirepoix* les oignons, les poireaux
et le céleri. Détailler en paysanne* la pomme et la banane.

Trier, laver les champignons et les laisser entiers s'ils ne font pas plus de 3 cm, sinon les couper
en deux.

Dans une cocotte, chauffer la moitié de l'huile d'olive et y faire suer* les oignons, les poireaux
et le céleri, cuire avec un rond de papier sulfurisé à l'étouffée pendant 6 à 7 minutes sans
coloration, ajouter l'ail haché et les épices, bien mélanger, cuire 3 minutes puis incorporer
la pomme et la banane, verser un demi-verre d'eau et laisser mijoter à feu très doux
pendant 10 à 15 minutes.

Dans une poêle, chauffer le restant d'huile d'olive et y faire rissoler à feu très vif les champignons
puis les verser dans la cocotte. Bien mélanger, amener à ébullition, saler, ajouter la crème
de soja et laisser mijoter 10 minutes à feu doux.

Préparer le riz à l'indienne : dans une cocotte chauffer l'huile d'olive, y faire suer les oignons
sans coloration pendant 4 ou 5 minutes, ajouter le riz avec les épices, les graines de pavot
et les raisins secs. Bien mélanger puis verser l'eau bouillante parfumée au miso. Saler, amener à
ébullition, couvrir d'un rond de papier sulfurisé et cuire 25 à 30 minutes à feu doux avec un couvercle.

Retirer du feu, laisser le riz gonfler pendant 15 minutes, puis l'égrainer, ajouter le yaourt
et les amandes effilées torréfiées*, mélanger.

Servir les champignons au curry avec le riz à l'indienne.

ATTEREAUX PIÉMONTAIS
et CAROTTES *aux* OLIVES

L'attereau est une brochette panée, cuite en friture, à l'inverse d'une brochette qui n'est pas panée mais grillée ou sautée.
Les olives de Nice proviennent de la variété « cailletier ». Elles ont moins de chair que les olives de Nyons et les olives grecques mais elles ont un goût irremplaçable.

PRÉPARATION
20 minutes

CUISSON
20 minutes

Pour 4 personnes

MARCHÉ
24 petits champignons de Paris de 2 cm de diamètre environ
125 g de semoule de maïs
30 g de parmesan râpé
2 œufs
150 g de chapelure
1/2 litre d'eau
30 g de beurre
80 g de farine
1 pincée de macis en poudre
Hot Pepper
3 g de sel
Huile de friture
8 brochettes en bambou

Pour les carottes aux olives
600 g de carottes
200 g de champignons de Paris boutons
250 g d'oignons
1 bouquet garni
4 gousses d'ail
1 zeste d'orange
80 g d'olives niçoises
20 g de miso d'orge
2 cuil. à soupe d'huile d'olive
1/2 cuil. à café d'herbes de Provence
1 pincée de piment d'Espagne en poudre
1 pincée de sarriette en poudre
2 feuilles de laurier
Sel

Mettre à bouillir l'eau avec le beurre, le sel, du Hot Pepper et le macis. Dès qu'il y a ébullition et que le beurre est fondu, verser en pluie la semoule de maïs en remuant avec un fouet. Cuire 5 minutes à petite ébullition en remuant avec une spatule. Retirer du feu, incorporer le parmesan, bien mélanger puis étaler sur un plateau recouvert de papier sulfurisé sur une épaisseur de 1,5 cm environ. Laisser refroidir. Détailler la polenta en cubes de 2 x 2 cm.

Laver les champignons et éliminer les queues (les concasser* et les réserver).

Composer deux brochettes par personne en alternant un cube de polenta et un champignon (répartir quatre cubes de polenta et trois de champignons par brochette).

Paner les brochettes : les passer dans la farine, puis dans les deux œufs battus avec 2 cuillerées à soupe d'eau puis enfin dans la chapelure.

Préparer les carottes aux olives : éplucher et laver les carottes. Détailler en petite mirepoix* les oignons et les carottes. Émincer les gousses d'ail, laver les champignons boutons.

Dans une cocotte, chauffer l'huile d'olive et y faire rissoler les oignons avec l'ail et les queues de champignons concassées jusqu'à légère coloration, ajouter les herbes de Provence, la sarriette, le piment d'Espagne et le laurier puis les champignons, faire rissoler vivement 3 à 4 minutes, ajouter les carottes, le zeste d'orange, les olives, le bouquet garni, le miso et 20 cl d'eau, saler. Cuire à petite ébullition 12 minutes avec un rond de papier sulfurisé en remuant de temps en temps.

Au moment de servir, plonger les brochettes quelques minutes dans la friture à 200 °C puis égoutter sur du papier absorbant.

Garnir le centre de chaque assiette d'une louche de carottes aux olives, disposer à côté deux attereaux et un bouquet de chicorée frisée.

PAVÉ *aux* CHAMPIGNONS *et* CONFITURE *d'*OIGNONS

Si vous ne souhaitez pas utiliser de friture, cette préparation peut se terminer au four à 220 °C mais les pavés de champignons seront moins croustillants.
La préparation aux champignons peut se réaliser deux ou trois jours à l'avance, il faudra juste plonger les pavés en friture au moment de passer à table.
Pour un jour de fête, vous pouvez ajouter dans la duxelles cuite 1 ou 2 cuillerées à soupe de truffes hachées crues, qui développeront tout leur arôme dans le croustillant de la panure.

PRÉPARATION
30 minutes

CUISSON
50 minutes
Pour 4 personnes

MARCHÉ
80 g de cèpes secs
100 g de champignons de Paris
100 g de pleurotes
100 g de lentins de chêne (shiitake)
80 g d'échalotes ciselées
2 jaunes d'œufs
1/4 de litre de lait
35 g de beurre
35 g de farine
2 cuil. à soupe d'huile d'olive
1 pincée de macis en poudre
Sel, Hot Pepper

Pour la confiture d'oignons

400 g d'oignons
1 grosse cuil. à soupe de miel
2 cuil. à soupe d'huile d'olive
Sel, poivre du moulin

Pour la panure

80 g de farine
1 œuf
150 g de chapelure
  ou de mie de pain
Huile de friture

Pour le dressage

100 g de mesclun
Quelques baies roses
4 branches de cerfeuil

Réhydrater les cèpes dans un peu d'eau tiède. Trier, laver et concasser* les autres champignons.

Dans un poêlon, chauffer l'huile d'olive, y faire suer* les échalotes, ajouter les cèpes hachés, cuire 5 minutes à feu moyen puis ajouter les autres champignons et cuire jusqu'à disparition de l'eau de végétation.

Chauffer le beurre dans une casserole, ajouter la farine et cuire le roux* sans coloration pendant 5 minutes. Verser le lait, remuer avec un fouet pour amener à ébullition, baisser le feu et cuire 3 à 4 minutes en remuant avec une spatule en bois, incorporer les champignons hachés, bien mélanger et donner une ébullition. Ajouter les jaunes d'œufs, retirer du feu et assaisonner de sel, du macis et de Hot Pepper. Étaler la préparation sur une plaque recouverte de papier sulfurisé, lisser avec une spatule sur 1 cm d'épaisseur. Mettre à refroidir au réfrigérateur.

Préparer la confiture d'oignons : éplucher et tailler les oignons en petite mirepoix*. Chauffer l'huile d'olive, y faire rissoler les oignons pendant 6 minutes afin d'obtenir une légère coloration, saler et poivrer. Incorporer le miel, couvrir d'un rond de papier sulfurisé, baisser le feu et cuire 40 à 50 minutes à petit feu. Retirer le papier sulfurisé et donner la consistance d'une confiture en faisant évaporer le liquide de cuisson.

Détailler la préparation aux champignons en pavés de 3 x 3 cm, les paner en les passant dans la farine, puis l'œuf battu avec 2 cuillerées à soupe d'eau et la chapelure.

Au moment de servir, plonger les pavés quelques minutes dans la friture à 180 °C. Égoutter sur du papier absorbant.

Servir les pavés de champignons avec la confiture d'oignons chaude ou froide, du mesclun, quelques baies roses et les branches de cerfeuil.

CHOUCROUTE *aux* CROQUETTES *de* CHAMPIGNONS

La choucroute, aussi savoureuse crue, en salade, que cuite, est idéale l'hiver.
Et on ne répétera jamais assez combien ce légume lactofermenté est excellent pour la santé.

PRÉPARATION

40 minutes

CUISSON

1 heure

Pour 4 personnes

MARCHÉ

250 g de champignons de Paris
200 g d'oignons
1 gousse d'ail
200 g de pain semi-complet
1 œuf
2 cuil. à soupe de fromage
   blanc faisselle, bien égoutté
80 à 100 g de chapelure
25 g de graisse végétale
1/2 cuil. à café de miso
2 cuil. à soupe de levure
   alimentaire maltée
1/2 cuil. à café de cumin en poudre
1/2 cuil. à café de coriandre
   en poudre
1 pincée de macis en poudre
Farine, sel, Hot Pepper

Pour la choucroute

500 g de choucroute
100 g de carottes
200 g d'oignons
80 g de céleri
25 g de graisse végétale
1/4 de litre de vin blanc
1 bouquet garni
3 clous de girofle
5 baies de genièvre
Sel, poivre du moulin

Pour la garniture

4 pommes de terre
200 g d'oignons
20 g de beurre
1 cuil. à soupe de sucre
4 cuil. à soupe de moutarde
Sel

Passer le pain au mixeur.

Chauffer la graisse végétale dans une casserole, y faire rissoler les oignons émincés avec l'ail écrasé pendant 5 à 6 minutes sur feu moyen, puis ajouter les champignons émincés, mélanger fréquemment et faire « sécher » jusqu'à évaporation de l'eau de végétation (compter 10 à 15 minutes). Ajouter hors du feu le miso, la levure, le pain mixé, le fromage blanc et l'œuf. Mixer le tout : cette préparation doit être très compacte (si elle reste molle, incorporer de la chapelure). Saler, ajouter du Hot Pepper, le cumin, la coriandre et le macis.

Façonner sur le plan de travail fariné des cylindres de 2 cm de diamètre puis les détailler en tronçons de 1 cm et les ranger côte à côte sur un plateau.

Préparer la choucroute : détailler les carottes, les oignons et le céleri en jardinière. Dans une cocotte, chauffer la graisse végétale et y faire suer* les légumes pendant 5 à 8 minutes. Ajouter la choucroute, mouiller avec le vin blanc, bien mélanger, ajouter les baies de genièvre, les clous de girofle, du sel, du poivre et le bouquet garni. Couvrir d'un rond de papier sulfurisé et d'un couvercle et cuire au four préchauffé à 180 °C (th. 6) pendant 50 à 60 minutes.

Préparer la garniture : cuire les pommes de terre en robe des champs. Détailler les oignons en mirepoix*, les mettre dans une petite casserole, ajouter le beurre, du sel et le sucre. Ajouter de l'eau à hauteur des oignons, recouvrir d'un rond de papier sulfurisé et cuire à petite ébullition jusqu'à ce qu'il n'y ait plus de liquide : les oignons doivent légèrement caraméliser. Éplucher les pommes de terre. Plonger les croquettes de champignons quelques minutes dans un bain de friture à 200 °C puis les égoutter sur du papier absorbant.

Servir un bouquet de choucroute par assiette. Répartir par-dessus les oignons. Entourer de tranches de pomme de terre et de croquettes de champignons, poser 1 cuillerée à soupe de moutarde.

CONCHIGLIONI
aux CINQ CHAMPIGNONS

Vos convives vont beaucoup aimer ces grosses pâtes farcies.
Vous pouvez remplacer les morilles par des cèpes ou des bolets, la recette sera
alors plus économique.

PRÉPARATION

30 minutes

CUISSON

25 minutes

Pour 4 personnes

MARCHÉ

40 pièces de conchiglioni (grosses
   pâtes italiennes)
400 g de champignons de Paris
   + 24 petits
8 pleurotes
8 lentins de chêne (shiitake)
8 morilles
8 trompettes-de-la-mort
180 g d'échalotes

50 g de beurre
2 cuil. à soupe de persil haché
30 cl de béchamel épaisse
3/4 de litre de crème fraîche
10 cl d'huile d'olive
Quelques tiges de ciboulette
1 pincée de macis en poudre
1 cuil. à soupe de tamari
Sel, Hot Pepper

Faire cuire les conchiglioni dans de l'eau bouillante salée pendant 10 minutes. Égoutter et rafraîchir.

Réaliser une duxelles* très sèche avec 20 g de beurre et 80 g d'échalotes finement ciselées
que l'on fait suer* sans coloration. Ajouter 400 g de champignons de Paris concassés*
et laisser cuire jusqu'à complet dessèchement sur feu moyen, puis ajouter le persil haché
et lier avec la béchamel. Assaisonner de sel, Hot Pepper et du macis.

Avec une poche à douille, garnir en dôme toutes les pâtes avec la préparation. Les ranger
dans un plat à gratin bien beurré et verser un demi-litre de crème fraîche. Couvrir d'un rond
de papier sulfurisé et cuire au four préchauffé à 150 °C (th. 5) pendant 20 minutes.

Réhydrater les morilles et les trompettes-de-la-mort et les laver plusieurs fois. Trier et laver
plusieurs fois les autres champignons.

Dans une cocotte, faire suer dans le reste du beurre et des échalotes finement ciselées
puis ajouter les morilles et les trompettes-de-la-mort. Laisser mijoter 5 minutes à petit feu.

Dans une poêle bien chaude chauffer l'huile d'olive, ajouter les vingt-quatre petits champignons
de Paris, les pleurotes et les lentins de chêne, les faire sauter vivement pendant 3 minutes
à feu vif. Égoutter dans une passoire et les ajouter dans la cocotte. Laisser mijoter 2 minutes
à couvert puis ajouter un quart de litre de crème fraîche, le tamari, du sel et du Hot Pepper.
Amener à ébullition et laisser cuire à petit feu pendant 5 minutes.

Retirer les champignons avec une écumoire en les égouttant bien.

Disposer les conchiglioni en cercle au centre de l'assiette, napper d'un peu de sauce le milieu
et disposer harmonieusement tous les champignons. Décorer de quelques tiges de ciboulette.

Sans gluten
—
VEGAN

SALADE EXOTIQUE *au* GINGEMBRE

C'est en hiver que nous devons profiter des fruits exotiques qui nous arrivent gorgés de soleil et de saveurs. On peut réaliser la sauce avec une mayonnaise crémée ou, plus diététique, une émulsion de tofu à l'huile d'olive. Pour cette recette, j'ai choisi la deuxième option.

PRÉPARATION

20 minutes

CUISSON

15 minutes

Pour 4 personnes

MARCHÉ

200 g de patates douces
200 g de germes de soja
1/2 cœur de céleri-branche
130 g d'oignons
200 g de mangue
1/2 ananas
1 banane
1 cuil. à café de gingembre
   confit haché
1 cuil. à café de gingembre
   en poudre
1 cuil. à café de gingembre frais
50 g de riz semi-complet

Pour la sauce

40 g de tofu
5 cl d'eau
1 cuil. à café de sucre
Le jus de 1/2 citron
6 cl d'huile d'olive
1 cébette
1 cuil. à café de tamari
Sel, Hot Pepper

Cuire le riz à l'anglaise*, l'égoutter puis le laisser refroidir.

Éplucher les patates douces, les cuire dans de l'eau salée à petite ébullition pendant une quinzaine de minutes, les rafraîchir sous une eau glacée et les tailler en paysanne*.

Éplucher l'ananas et le découper en paysanne, ainsi que la mangue, le céleri et la banane.

Réunir dans un saladier le riz bien égoutté, l'ananas, les germes de soja, la banane, la mangue, le céleri, la patate douce, le gingembre en poudre, frais et confit.

Réaliser la sauce : réunir dans le bol du mixeur tous les ingrédients sauf l'huile d'olive. Bien mixer puis incorporer toujours en mixant l'huile d'olive. Rectifier l'assaisonnement.

Verser la sauce dans le saladier, bien mélanger.

CROQUETTES *de* PATATE DOUCE *aux* BRUNOISES *de* LÉGUMES *aux* TROIS PURÉES

Pour cette recette, le choix des trois purées permet une diversité de parfums. Les croquettes de patate douce peuvent être remplacées par une polenta au fromage de brebis ou un légume pané et sauté.

PRÉPARATION
30 minutes

CUISSON
45 minutes
Pour 4 personnes

MARCHÉ
400 g de patates douces
30 g de carotte
30 g de navet
30 g de potiron
30 g de céleri-rave
30 g de rutabaga
30 g de champignons de Paris
1 œuf + 2 jaunes
100 g de farine
150 g de chapelure
5 cl d'huile d'olive
Sel, Hot Pepper

Pour les purées

300 g de pommes
300 g de céleri-rave
300 g de chou rouge
50 g de beurre
1 cuil. à soupe de jus de citron
20 cl de crème d'amande
2 cuil. à soupe d'huile d'olive
1 pincée de cannelle
1 pincée de girofle en poudre
Sel

Laver et brosser les patates douces, les cuire au four préchauffé à 200 °C (th. 6-7) pendant 45 à 60 minutes.

Pendant ce temps, éplucher et laver la carotte, le navet, le potiron, le céleri-rave, le rutabaga et les champignons. Les détailler en brunoise*. Chauffer dans une poêle l'huile d'olive et y faire sauter les légumes sur feu moyen (ils doivent rester *al dente*).

Passer la pulpe des patates douces à la grille fine, incorporer les légumes détaillés en brunoise, mélanger, assaisonner de sel et de Hot Pepper et lier avec deux jaunes d'œufs. Laisser refroidir.

Réaliser les trois purées : prendre trois casseroles à fond épais. Dans la première, émincer les pommes épluchées, ajouter du sel, la cannelle, 35 g de beurre et 4 cuillerées à soupe d'eau. Couvrir d'un rond de papier sulfurisé et cuire 20 minutes à feu doux.

Dans la deuxième, émincer le chou rouge, ajouter le girofle, 15 g de beurre et 4 cuillerées à soupe d'eau. Couvrir d'un rond de papier sulfurisé et cuire 25 à 30 minutes à feu doux.

Dans la troisième, remplir une casserole aux trois quarts d'eau salée, dès qu'il y a ébullition, y cuire le céleri-rave à l'eau avec le jus de citron.

Dès que les légumes sont cuits, les passer séparément au mixeur et les garder au chaud au bain-marie. Ne pas oublier de mixer la crème d'amande avec le céleri-rave. Rectifier l'assaisonnement si nécessaire.

Pour les croquettes, façonner sur un plan de travail fariné des cylindres de 2 cm de diamètre avec la préparation aux légumes et à la patate douce. Les recouper à 5 cm de longueur. Paner les croquettes en les passant successivement dans la farine puis dans l'œuf battu avec 2 cuillerées à soupe d'eau et dans la chapelure. Les cuire en friture à 180 °C pendant 2 à 3 minutes, les égoutter et les poser sur du papier absorbant.

Dresser en étoile dans chaque assiette un bouquet de chaque purée et les intercaler avec les croquettes de patate douce.

CRÊPES FARCIES *à la* MOUSSELINE *de* PATATE DOUCE *et* CRÈME *de* FRUITS SECS *à la* GRECQUE

La crème de fruits secs est une variante de l'aïoli à la grecque.
Cette préparation peut se réaliser sans les crêpes, mais elle devient moins
attractive pour les enfants.

PRÉPARATION
20 minutes

CUISSON
30 minutes
Pour 4 personnes

MARCHÉ
Pour la pâte à crêpes
40 g de farine de blé
40 g de farine de pois chiche
1 œuf
30 cl de lait
1 cuil. à soupe d'huile d'olive
1 pincée de sel

Pour la mousseline
de patate douce
400 g de patates douces
3 œufs
Sel, Hot Pepper

Pour la crème de fruits secs
à la grecque
1 cuil. à soupe de noix
1 cuil. à soupe d'amandes
1 cuil. à soupe de noisettes
1 tranche de pain de mie trempée
dans du lait
1 gousse d'ail
1 cuil. à café de vinaigre de cidre
1 cuil. à soupe de jus de citron
Sel, 1 cuil. à café de sucre
Hot Pepper
5 cl d'huile d'olive

Réunir dans un saladier les farines, l'œuf, le sel, l'huile d'olive et le lait, mélanger avec un fouet, passer au chinois s'il y a des grumeaux.

Réaliser huit petites crêpes très fines.

Éplucher les patates, les émincer grossièrement, les cuire dans de l'eau bouillante salée pendant 20 à 25 minutes. Les égoutter et les passer au moulin à légumes, grille fine.

Dans une casserole sur feu moyen chauffer la purée de patate douce pendant 3 minutes en mélangeant avec une spatule en bois, puis retirer du feu, incorporer les jaunes d'œufs dans la purée (réserver les blancs). Assaisonner de sel et de Hot Pepper.

Monter* en neige très ferme les trois blancs d'œufs puis les incorporer à la purée comme un soufflé.

Étaler les crêpes bien à plat, poser une louche de mousseline au centre, joindre les bords des crêpes, puis les ranger côte à côte sur une plaque à rôtir. Passer au four préchauffé à 180 °C (th. 6) pendant 15 à 20 minutes.

Réaliser la crème de fruits secs : réunir dans un mixeur tous les ingrédients sauf l'huile d'olive. Bien mixer puis ajouter petit à petit l'huile d'olive afin de créer une émulsion.

Dresser sur chaque assiette deux crêpes et les napper de crème de fruits secs à la grecque.

SUBRIC *de* PATATES DOUCES *et* CHOP SUEY *de* LÉGUMES *au* CURCUMA

Autrefois, cette préparation était cuite sur les briques chaudes du foyer.
« Sur briques » s'est transformé en « subric » !

PRÉPARATION
30 minutes

CUISSON
20 minutes
Pour 4 personnes

MARCHÉ
200 g de patates douces
30 g de graisse végétale
50 g de farine
2 œufs
3 cuil. à soupe d'huile d'olive
50 g du mélange de fruits secs :
  amandes, noisettes, tournesol,
  sésame et arachides
1 pincée de macis en poudre
Sel, Hot Pepper

Pour le chop suey
100 g de poireaux
80 g de carottes
80 g de rutabaga
100 g de courge
80 g de champignons de Paris
100 g de cœur de chou vert frisé
10 cl d'eau
5 cl d'huile d'olive
2 cuil. à soupe de tamari
1 cuil. à café de curcuma frais râpé
1 pincée de gingembre râpé en poudre
Sel, Hot Pepper

Éplucher et râper les patates douces.

Dans un saladier réunir la farine, les œufs, l'huile d'olive, du sel, le macis, du Hot Pepper et le mélange de fruits secs concassés*.

Ajouter petit à petit les patates douces râpées dans le saladier en remuant avec une spatule en bois.

Chauffer une poêle avec la graisse végétale sur feu moyen et y déposer des petits tas de la grosseur d'une cuillère à soupe. Aplatir avec la fourchette, faire dorer les deux faces puis disposer les subrics dans un plat à gratin.

Préparer le chop suey : éplucher tous les légumes et les laver. Émincer finement en biais les poireaux, les carottes, le rutabaga, la courge, le chou vert frisé et les champignons.

Chauffer dans une poêle l'huile d'olive et y faire sauter les légumes sur feu très vif pendant 2 à 3 minutes en mélangeant constamment. Baisser le feu et déglacer* avec le tamari dilué dans l'eau. Saler, ajouter le Hot Pepper, le curcuma et le gingembre, bien mélanger. Retirer les légumes quand le fond de la poêle est sec.

Répartir les légumes au milieu des assiettes et disposer les subrics autour.

PATATE DOUCE MARYLAND, SAUCE CRÈME *au* RAIFORT

Le suprême de volaille Maryland est un grand classique. Ici, la patate douce remplace la volaille.

PRÉPARATION
35 minutes

CUISSON
15 minutes

Pour 4 personnes

MARCHÉ
400 g de grosses patates douces
1 banane
1 œuf
50 g de farine
80 g de chapelure
1 cuil. à café de curry

Pour les galettes de maïs
1 boîte de 200 g de maïs en grains
80 g de farine
1 cuil. à soupe d'huile d'olive
1 œuf
1 pincée de macis en poudre
Sel, Hot Pepper

Pour la sauce au raifort
10 cl de crème fraîche
1 cuil. à café de tamari
1 cuil. à café de jus de citron
1 cuil. à soupe de raifort râpé
Sel

Éplucher la banane, la couper en biais, en quatre, de façon à répartir équitablement les tranches.

Paner les tranches en les passant dans la farine, l'œuf battu avec 2 cuillerées à soupe d'eau et la chapelure. Réserver au réfrigérateur.

Éplucher les patates douces et les couper en tranches de 5 mm d'épaisseur. Les plonger dans de l'eau bouillante salée pendant 5 minutes, puis les rafraîchir sous une eau glacée, les égoutter et les sécher avec du papier absorbant. Saupoudrer de curry et réserver au réfrigérateur.

Préparer les galettes de maïs : séparer le blanc du jaune d'œuf. Dans un saladier, mettre la farine, ajouter du sel, l'huile d'olive, le jaune d'œuf, le macis et du Hot Pepper. Mélanger avec une spatule en bois en incorporant les grains de maïs et le jus de la boîte : la consistance doit être plus épaisse que celle d'une pâte à crêpes (si elle est trop épaisse, ajouter quelques cuillerées à soupe d'eau).

Monter* le blanc d'œuf en neige très ferme et l'incorporer à la pâte. Former douze ou seize galettes à l'aide d'une cuillère à soupe.

Dans une poêle, chauffer un peu d'huile d'olive et y cuire les galettes à feu moyen quelques minutes sur chaque face.

Passer les tranches de patate douce dans l'œuf battu qui a servi à paner la banane et faire dorer les deux faces à la poêle avec un peu d'huile d'olive à feu moyen.

Plonger les tranches de banane dans une friture à 180 °C, puis les égoutter sur du papier absorbant.

Réaliser la sauce au raifort : amener à ébullition la crème fraîche, puis ajouter du sel, le tamari, le jus de citron et le raifort frais râpé.

Disposer dans chaque assiette quelques tranches de patate douce, trois ou quatre galettes de maïs, une tranche de banane. Verser un filet de sauce au raifort par-dessus.

PATATE FONDANTE *aux* AGRUMES
et ÉPINARDS CONCASSÉS *à la* CRÈME

*L'hiver est la période des agrumes. À Menton, les agrumes, issus de variétés
très anciennes, ont des saveurs incomparables grâce à un sol particulier
et à un climat exceptionnel.*

Sans gluten

PRÉPARATION
25 minutes
CUISSON
20 minutes
Pour 4 personnes

MARCHÉ
600 g de patates douces
2 pamplemousses
3 oranges
1/2 citron
30 g de beurre
1 cuil. à soupe de sucre
Sel, poivre du moulin

*Pour les épinards concassés
à la crème*
800 g d'épinards
1 gousse d'ail hachée finement
10 cl de crème fraîche
50 g de beurre

Éplucher les patates douces et les tailler en gosse mirepoix*.

Dans une cocotte, mettre la mirepoix de patate douce sans tasser. Ajouter le beurre coupé
en morceaux, du sel et le sucre. Mouiller à hauteur des patates, amener à ébullition,
couvrir d'un rond de papier sulfurisé et cuire à petite ébullition jusqu'à élimination du liquide.

Prélever les zestes de pamplemousse, d'orange et de citron. Détailler les zestes en fine julienne*.
Peler à vif* les oranges et les pamplemousses, lever des segments. Récupérer le jus.

Quand les patates douces n'ont plus de liquide, déglacer* avec le jus d'agrume
(citron, pamplemousse et orange) et faire réduire de moitié sur feu moyen.

Blanchir* les zestes en les plongeant 1 minute dans de l'eau bouillante salée puis les rafraîchir
sous une eau glacée et les égoutter.

Trier, laver les épinards.

Dans une marmite d'eau bouillante salée, plonger les épinards, enfoncer avec une écumoire à
la reprise de l'ébullition, égoutter, plonger dans une eau glacée, égoutter à nouveau, presser et
concasser*.

Dans une poêle chauffer le beurre, ajouter l'ail, mélanger et précipiter les épinards,
bien mélanger, ajouter la crème fraîche, donner une ébullition, rectifier l'assaisonnement.

Disposer un bouquet de patate douce au centre de l'assiette, poser par-dessus quelques suprêmes
et une pincée de zeste, entourer d'épinards à la crème.

Portfolio

1. asperge
2. betterave
3. chou-fleur
4. blette
5. céleri-rave et céleri branche
6. épinard

c'est *le* PRINTEMPS

NAKA MAKI SUSHI *d'*ASPERGE MIMOSA

Le maki sushi est élaboré à partir d'une feuille d'algue séchée (nori) sur laquelle on étale une couche de riz, puis du poisson cru et des légumes avant de l'enrouler pour former un rouleau. Celui-ci est ensuite découpé en tranches. Il prend des appellations différentes suivant la grosseur du diamètre : hoso maki sushi (2 cm), naka maki sushi (3 cm) ou futo maki sushi (4 cm).

Sans gluten

PRÉPARATION
30 minutes

RÉFRIGÉRATION
1 heure

CUISSON
30 minutes

Pour 4 personnes

MARCHÉ
Pour les naka maki

22 asperges bien vertes
1 tomate bien rouge
6 feuilles de chicorée frisée
2 plaques de nori
2 œufs durs
1/2 cuil. à café de gingembre frais râpé
30 g de tapioca
120 g de crème fraîche
1 sachet d'agar-agar (4 g)
2 cuil. à soupe d'huile d'olive
1/2 cuil. à café de tamari
Hot Pepper

Pour la sauce

100 g de crème fouettée
1 cuil. à café d'échalotes finement ciselées
1 cuil. à café de jus de citron
1 pincée de safran
2 gouttes de tamari
Sel, Hot Pepper

Passer les plaques de nori sur la flamme jusqu'à cc qu'elles prennent une couleur verte.

Trier, éplucher et laver les asperges. Les cuire dans une poêle à feu doux et sans coloration avec l'huile d'olive, en les tournant régulièrement. Elles doivent rester un peu croquantes (compter 15 minutes de cuisson environ).

Porter à ébullition 25 cl d'eau contenant l'agar-agar, du Hot Pepper, le gingembre et le tamari, verser le tapioca en pluie en remuant et cuire 8 minutes à feu doux. Retirer du feu, couvrir et laisser gonfler pendant 5 minutes.

Verser le tapioca dans un saladier afin de le refroidir à température ambiante. Fouetter la crème fraîche pour l'épaissir et l'incorporer au tapioca froid.

Sur un rectangle de papier d'aluminium plus grand que la plaque de nori, poser une feuille de nori, la partie rugueuse vers soi. Étaler une couche de tapioca et ranger par-dessus cinq asperges à intervalles réguliers. Enrouler la feuille de nori sur elle-même et l'envelopper de papier d'aluminium, presser les extrémités. Laisser 1 heure au réfrigérateur.

Trier et laver les feuilles de chicorée. Passer séparément les blancs et les jaunes d'œufs durs au tamis. Monder* la tomate et la détailler en bâtonnets.

Mélanger tous les ingrédients de la sauce.

Détailler les feuilles de nori farcies en tronçons de 3 cm d'épaisseur et disposer harmonieusement les feuilles de chicorée, les bâtonnets de tomate, les blancs et les jaunes d'œufs durs passés au tamis. Servir avec la sauce.

ASPERGES *en* CHEMISE *au* PARIKA

*Dans cette recette, le léger croquant des asperges contraste avec le moelleux
de la farce contenue dans les galettes. Un régal !*

PRÉPARATION

35 minutes

CUISSON

40 minutes

Pour 4 personnes

Sans gluten

MARCHÉ

Pour la pâte à crêpes

3 cuil. à soupe de farine de sarrasin
1 cuil. à café d'huile d'olive
1 œuf
7,5 cl de lait
Sel

Pour la garniture

500 g d'asperges

Pour la farce

250 g de champignons de Paris
50 g d'échalotes

10 cl de crème de soja
2 blancs d'œufs
20 g de beurre
1 cuil. à café de paprika
Sel

Pour la sauce au paprika

30 g d'échalotes
10 cl de crème de soja
10 g de beurre
1 cuil. à café de paprika
Sel

Réaliser une pâte à crêpes : dans un saladier, mélanger au fouet la farine, l'huile, du sel, l'œuf
et le lait. Cuire quatre grandes crêpes fines.

Éplucher et laver les asperges. Couper les pointes en tiges de 4 à 5 cm de longueur et les réunir
en bottillons de huit asperges. Cuire les bottillons dans de l'eau bouillante salée pendant
6 minutes, les égoutter et les rafraîchir dans une eau glacée.

Pour la farce, laver, trier et concasser* les champignons. Ciseler les échalotes. Dans une casserole,
chauffer le beurre et y faire suer* les échalotes pendant 3 minutes à feu moyen, ajouter
les champignons et cuire 4 à 5 minutes (jusqu'à dessèchement des champignons), ajouter
la crème de soja, du sel et le paprika, amener à ébullition puis cuire 3 minutes de plus à feu doux.

Monter* les blancs en neige très ferme et les incorporer dans la farce.

Pour la sauce, ciseler les échalotes. Les faire suer* dans une petite casserole avec le beurre
pendant 3 minutes, ajouter le paprika, la crème de soja, saler, amener à ébullition et réserver
au chaud au bain-marie.

Poser les galettes bien à plat, étaler sur chacune d'elles 4 à 5 cuillerées à soupe de farce
et poser par-dessus six à huit asperges bien égouttées et séchées, pointes vers le haut.

Enrouler chaque galette et les déposer côte à côte dans un plat à gratin. Recouvrir de papier
sulfurisé beurré et cuire au four préchauffé à 180 °C (th. 6) pendant 20 minutes.

Au moment de servir, napper les galettes de sauce au paprika.

ASPERGES RÔTIES *aux* TROIS SAUCES
dans la COQUILLE

L'asperge Fontenelle est un classique, c'est l'asperge qui sert de mouillette dans l'œuf coque. J'ai imaginé d'ajouter deux sauces que l'on aime déguster avec des asperges…

Sans gluten

PRÉPARATION
20 minutes
CUISSON
35 minutes
Pour 4 personnes

MARCHÉ
20 asperges vertes
4 œufs coques
200 g de fromage blanc
60 g de beurre
1 bouquet de ciboulette
4 tranches de pain au levain
  semi-complet
3 gouttes de tamari
Sel, Hot Pepper

Pour la sauce hollandaise
50 g d'échalotes
2 jaunes d'œufs
150 g de beurre
20 cl de vin blanc
1/2 citron
Sel, Hot Pepper

Pour la purée de pommes de terre
300 g de pommes de terre
50 g de beurre
1 pincée de macis
Sel, poivre du moulin

Cuire les pommes de terre au four préchauffé à 220 °C (th. 7-8) ou dans de l'eau bouillante salée pendant 30 à 35 minutes.

Éplucher et laver les asperges.

Clarifier* le beurre séparément : 150 g pour la confection de la sauce hollandaise et 60 g pour la cuisson des asperges.

Émincer finement la ciboulette, la mélanger avec le fromage blanc et assaisonner de sel, du tamari et du Hot Pepper.

Pour la sauce hollandaise, ciseler finement les échalotes et les faire réduire aux trois quarts avec le vin blanc sur feu moyen. Débarrasser dans un saladier, ajouter les jaunes d'œufs, placer au bain-marie et fouetter pour obtenir une consistance mousseuse pendant 4 à 5 minutes.

Retirer le sabayon du bain-marie et incorporer le beurre clarifié en mélangeant comme pour faire une mayonnaise. Assaisonner de sel, de quelques gouttes de jus de citron et du Hot Pepper.

Passer les pommes de terre très chaudes au moulin à légumes et incorporer le beurre en mélangeant vigoureusement et assaisonner de sel, macis et poivre du moulin.

Dans une poêle à basse température chauffer 60 g de beurre clarifié et poser les asperges en les tournant régulièrement sans les faire colorer (ce mode de cuisson maintient les asperges très vertes et croquantes). Assaisonner de sel et poivre.

Cuire les œufs coques 3 minutes.

Sur chaque assiette former trois rosaces de purée de pommes de terre avec une poche et une douille cannelée pour fixer un œuf coque et deux coquilles vides : l'une garnie de fromage blanc à la ciboulette et l'autre de sauce hollandaise.

Disposer cinq asperges en éventail dans chaque assiette avec des bâtonnets de pain au levain.

VEGAN

CROÛTE GRATINÉE *aux* ASPERGES

Facile d'exécution, c'est un peu le croque-monsieur dans une version printanière.
Choisir de belles tranches de pain de mie ou de pain brioché.

PRÉPARATION
20 minutes

CUISSON
25 minutes

Pour 4 personnes

MARCHÉ
500 g d'asperges
8 tranches de pain de mie

Pour la farce
100 g de tofu lactofermenté
  de préférence
1/2 citron
5 cl d'huile d'olive
1 cuil. à café de persil haché

1 cuil. à café de cerfeuil haché
1 cuil. à café de basilic haché
1 cuil. à café de coriandre hachée
1 cuil. à café de ciboulette émincée
1 cuil. à soupe de tamari
Sel, Hot Pepper

Pour la finition
Mélange de chapelure, graines
  de sésame et graine de tournesol

Toaster légèrement les tranches de pain.

Éplucher et laver les asperges. Couper les pointes en tiges de 4 à 5 cm et les réunir en bottillons de huit asperges (compter cinq asperges par toast).

Cuire les bottillons dans de l'eau bouillante salée pendant 5 minutes, les égoutter et les rafraîchir dans une eau glacée.

Râper le zeste du demi-citron et presser le jus.

Dans la cuve du mixeur mettre le tofu, le jus et le zeste de citron, le tamari, assaisonner de sel et de Hot Pepper. Mixer afin d'obtenir une préparation très crémeuse. Si la consistance est trop épaisse, ajouter quelques cuillerées à soupe de lait de soja ou d'eau et émulsionner en y incorporant l'huile d'olive. Débarrasser dans un saladier.

Ajouter le persil, le cerfeuil, le basilic, la coriandre et la ciboulette. Bien mélanger. Rectifier l'assaisonnement.

Bien égoutter et sécher les asperges.

Sur une plaque à pâtisserie, ranger côte à côte les tranches de pain toastées, poser dessus les asperges bien sèches, pointes vers le haut, napper de sauce tofu et saupoudrer du mélange chapelure, graines de sésame et graines de tournesol.

Cuire au four préchauffé à 180 °C (th. 6) pendant 20 à 25 minutes.

Servir aussitôt accompagné d'une salade.

Sans gluten
—
VEGAN

BETTERAVE CONFITE *au* MIEL
et JARDINIÈRE PRIMEUR

La fraîcheur des légumes printaniers contribue à donner plus de saveurs
à la préparation de betteraves confites aux épices et au miel.

PRÉPARATION
30 minutes

CUISSON
30 minutes

Pour 4 personnes

MARCHÉ
300 g de betteraves crues
100 g d'oignons
2 cuil. à soupe de miel
2 cuil. à soupe d'amandes effilées
2 cuil. à soupe d'huile d'olive
2 cuil. à soupe de vinaigre de cidre
1 pincée de girofle, de cannelle,
    de gingembre, de paprika
    et de coriandre
Sel, Hot Pepper

Pour la jardinière
100 g de carottes
100 g de courgettes
100 g de haricots verts
80 g de petits pois
100 g de navets
12 petites asperges
5 cl d'huile d'olive

Éplucher les oignons et les betteraves. Les détailler en brunoise*.

Dans une cocotte avec l'huile d'olive, faire rissoler les oignons pendant 5 minutes à feu moyen,
ils doivent prendre une légère couleur blonde.

Ajouter les betteraves, les épices, du sel et du Hot Pepper. Déglacer* avec le vinaigre
puis ajouter le miel et 5 cl d'eau, amener à ébullition, couvrir d'un rond de papier sulfurisé
et cuire 20 à 30 minutes à feu doux (il ne doit plus y avoir de liquide).

Torréfier* les amandes. Les ajouter dans la betterave confite.

Préparer la jardinière : éplucher les carottes et les navets. Zébrer* les courgettes.
Effiler les haricots verts. Écosser les petits pois.

Éplucher et laver les asperges, couper les pointes en tiges de 4 à 5 cm et les réunir
en bottillons de douze asperges.

Détailler en jardinière* les carottes, les courgettes et les navets. Couper les haricots verts
en tronçons de 3 cm.

Cuire tous les légumes séparément dans de l'eau bouillante salée à découvert entre
4 et 6 minutes suivant les légumes ou à la vapeur.

Réunir tous les légumes, les assaisonner de sel et d'huile d'olive.

Présenter la betterave confite entourée de la jardinière.

CAKE *de* BETTERAVE, SAUCE SOUBISE

Ce cake peut également se déguster froid. Il suffit alors de remplacer la sauce Soubise par une sauce à l'huile d'olive aux herbes ou une sauce au tofu.

PRÉPARATION

20 minutes

CUISSON

1 heure 10

Pour 4 personnes

MARCHÉ

300 g de betteraves crues
80 g d'olives vertes dénoyautées
250 g de farine + 20 g pour le moule
4 œufs
10 g de beurre
20 g de levure fraîche de boulanger
30 g de parmesan
10 cl d'huile d'olive
10 cl de vin blanc
1/4 de cuil. à café de quatre-épices
Sel, Hot Pepper

Pour la sauce Soubise

100 g d'oignons
20 g de beurre
20 g de farine
1/4 de litre de lait bouillant
1 pincée de macis
Sel, Hot Pepper

Éplucher les betteraves et les détailler en brunoise*. Les plonger 5 minutes dans de l'eau salée à petite ébullition, égoutter et rafraîchir.

Dans une petite casserole, mettre les olives, la remplir d'eau froide, amener à ébullition, égoutter et rafraîchir.

Dans la cuve du robot, mélanger au crochet la farine, l'huile d'olive, la levure délayée avec le vin blanc, les œufs, du sel, du Hot Pepper, le quatre-épices et le parmesan râpé pendant 3 minutes. Retirer le crochet et incorporer avec une spatule les olives et la brunoise de betterave.

Beurrer et fariner un moule à cake. Verser la préparation dans le moule et passer au four préchauffé à 50 °C (th. 2) pendant 45 minutes, la pâte va lever.

Retirer du four, monter la température du four à 180 °C (th. 6) et cuire le cake pendant 30 minutes.

Pour la sauce Soubise, émincer les oignons. Dans une casserole à fond épais faire fondre le beurre et y faire suer* les oignons pendant 5 minutes à feu moyen puis ajouter la farine, bien mélanger et cuire à feu doux 5 minutes en remuant fréquemment (la farine ne doit pas se colorer). Incorporer le lait petit à petit en mélangeant avec un fouet, assaisonner de sel, du Hot Pepper et de macis. Amener à ébullition et cuire 20 minutes à feu doux. Mixer finement la sauce et passer au chinois-étamine.

Démouler le cake, détailler des tranches, dresser deux ou trois tranches par assiette et napper de sauce Soubise.

POMMES *de* TERRE FARCIES à *la* PURÉE *de* BETTERAVES

Les pommes de terre farcies sont toujours plébiscitées. Il faut choisir de grosses pommes de terre et les parures peuvent servir à la liaison d'un potage par exemple.

PRÉPARATION
20 minutes

CUISSON
50 minutes

Pour 4 personnes

MARCHÉ
Pour les pommes de terre

8 très grosses pommes de terre plutôt longues
60 g de beurre
1/2 litre d'eau
1 cuil. à café de miso d'orge
Sel, poivre du moulin

Pour la purée de betteraves

80 g d'oignons
2 gousses d'ail
250 g de betteraves crues
1/4 de litre d'eau
1 cuil. à café de sucre
100 g de mie de pain
2 cuil. à soupe d'huile d'olive
2 cuil. à soupe de vinaigre balsamique
Sel, Hot Pepper

Éplucher les pommes de terre, les couper aux deux extrémités pour qu'elles fassent toutes 5 à 6 cm de hauteur. Les évider avec une cuillère à légumes ronde pour avoir une cavité d'environ 4 x 7 cm.

Faire chauffer l'eau avec le miso.

Ranger les pommes de terre dans un plat à gratin profond grassement beurré et les assaisonner de sel et de poivre du moulin. Verser le bouillon parfumé au miso, amener à ébullition sur feu moyen. Couvrir de papier sulfurisé et cuire au four préchauffé à 180 °C (th. 6) pendant 25 minutes.

Pendant ce temps, préparer la farce : émincer les oignons et les betteraves. Écraser l'ail. Dans une cocotte, chauffer l'huile d'olive et y faire suer* les oignons avec l'ail pendant 5 minutes à feu moyen. Ajouter les betteraves, l'eau, du sel et du Hot Pepper, amener à ébullition, couvrir d'un rond de papier sulfurisé et cuire à petite ébullition pendant 25 minutes. Mixer finement le tout et lier avec la mie de pain. Ajouter le vinaigre et le sucre, rectifier l'assaisonnement en sel.

Retirer les pommes de terre du four, les farcir généreusement de la préparation à l'aide d'une poche à douille. Remettre le papier sulfurisé et prolonger la cuisson au four de 20 minutes environ avant de déguster.

FEUILLES *de* BETTERAVE FAÇON DOLMAS

Toutes les feuilles des plantes peuvent se farcir, il suffit de les blanchir au préalable.
La feuille de betterave en est un exemple.

PRÉPARATION
20 minutes

CUISSON
40 minutes

Pour 4 personnes

MARCHÉ
80 g de riz rond
    semi-complet de Camargue
8 feuilles de betterave
80 g de betterave crue
80 g d'oignons
50 g de tofu mixé
20 g de raisins secs
20 g de noisettes
20 g d'amandes
Le jus de 1/2 citron
2 cuil. à soupe d'huile d'olive
1 cuil. à soupe de moutarde
Sel

Pour la sauce
40 g d'oignon
1 gousse d'ail
100 g de betteraves crues
16 cl d'eau
2 cuil. à soupe d'huile d'olive
2 cuil. à soupe de vinaigre de cidre
Sel, Hot Pepper

Sans gluten
—
VEGAN

Blanchir* les feuilles de betterave dans de l'eau bouillante salée pendant 2 minutes, les rafraîchir et les égoutter.

Pour la farce : éplucher la betterave, détailler à la mandoline des tranches de 3 mm d'épaisseur et réaliser une brunoise*.

Verser le riz dans 50 cl d'eau salée, ajouter la brunoise de betterave et cuire une quinzaine de minutes. Le riz va prendre une couleur rose, l'égoutter.

Concasser* les noisettes et les amandes. Dans une casserole, faire rissoler dans l'huile d'olive les oignons ciselés sur feu moyen pendant 5 minutes avec une légère coloration, ajouter les noisettes, les amandes et les raisins, cuire 2 minutes, retirer du feu puis lier le tout au tofu. Incorporer le riz avec la brunoise de betterave, le jus de citron et la moutarde. Rectifier l'assaisonnement en sel.

Confectionner la sauce : émincer l'oignon et la betterave, écraser l'ail. Dans une casserole, faire suer* dans l'huile d'olive l'oignon avec l'ail pendant 3 à 4 minutes, ajouter la betterave, verser l'eau, assaisonner de sel et de Hot Pepper et cuire à petite ébullition pendant 15 à 20 minutes. Mixer finement et ajouter le vinaigre de cidre.

Répartir la sauce au fond du plat. Disposer bien à plat les feuilles de betterave.

Poser au milieu 2 cuillerées à soupe de farce, replier sur les côtés, enrouler les feuilles puis les ranger côte à côte sur la sauce dans le plat à gratin.

Recouvrir d'une feuille de papier sulfurisé huilé et cuire au four préchauffé à 160 °C (th. 5-6) une vingtaine de minutes.

PELMENI *de* BETTERAVE, SAUCE *à* L'ANETH

Les pelmeni, plat d'origine russe, sont toujours farcis de viande et rappellent les raviolis de la cuisine italienne.

PRÉPARATION
40 minutes

REPOS
1 heure

CUISSON
30 minutes

Pour 4 personnes

MARCHÉ
Pour la pâte

250 g de farine
2 jaunes d'œufs
10 g de beurre
1 pincée de sel
6 cl d'eau environ

Pour la farce

40 g d'oignon
150 g de betteraves crues
1/2 cuil. à café de miso d'orge
12 cl d'eau
2 cuil. à soupe d'huile d'olive
Sel, Hot Pepper

Pour la panade

6 cl d'eau
25 g de beurre
1 petite pincée de sel
50 g de farine
1 petite pincée de macis
1 petite pincée de girofle
1 cuil. à café de moutarde

Pour la sauce à l'aneth

10 cl de crème fraîche
1 cuil. à soupe de vinaigre
  de cidre
1 cuil. à soupe d'aneth haché
Sel

Dans la cuve du robot, mélanger au crochet tous les ingrédients de la pâte pendant 4 à 5 minutes jusqu'à ce qu'elle présente un aspect brillant, élastique et lisse. Débarrasser dans un saladier, recouvrir de film alimentaire et laisser reposer 1 heure.

Préparer la farce : émincer l'oignon. Éplucher et laver les betteraves, en émincer 100 g et détailler le reste en brunoise*. Dans une petite casserole, faire suer* l'oignon avec l'huile d'olive à feu moyen pendant 5 minutes, puis ajouter la betterave émincée, l'eau, le miso, du sel, du Hot Pepper, couvrir d'un rond de papier sulfurisé et cuire 15 minutes à feu moyen (il ne doit plus rester de liquide).

Mixer finement la préparation, la remettre dans la casserole, y mélanger la brunoise de betterave et cuire avec un rond de papier sulfurisé pendant 5 à 6 minutes à feu doux.

Réaliser la panade, faire bouillir dans une petite casserole l'eau avec le beurre coupé en morceaux et le sel. Dès que le beurre est fondu, baisser le feu et incorporer rapidement la farine en remuant constamment avec une spatule, remonter le feu, la pâte doit se détacher des parois de la casserole.

Hors du feu, incorporer le macis, le girofle et la moutarde puis la purée de betteraves petit à petit. Rectifier l'assaisonnement et placer au réfrigérateur.

Pour la sauce à l'aneth, amener à ébullition la crème fraîche avec le vinaigre de cidre, du sel et l'aneth. Réserver au bain-marie.

Préparer les pelmeni : abaisser* très finement la pâte pour qu'elle ait l'épaisseur d'une feuille de papier. Découper à l'emporte-pièce des ronds de 6 cm de diamètre. Déposer au centre 1 cuillerée à café de farce. Humecter les bords avec de l'eau à l'aide d'un pinceau. Plier bord à bord pour former un petit chausson. Ranger les chaussons sur un plateau légèrement fariné.

Pocher en plusieurs fois les pelmeni dans de l'eau bouillante salée. Ils sont cuits lorsqu'ils remontent à la surface. Les égoutter avec une écumoire dans un plat creux et les lier avec la sauce à l'aneth.

RABOTE *de* BETTERAVE, SAUCE « GASTRIQUE » *aux* CERISES

À la place d'une pomme, comme dans la spécialité picarde, je mets une betterave dans la pâte. La sauce aigre-douce aux cerises s'harmonise parfaitement avec la chair de la betterave.

PRÉPARATION
35 minutes
CUISSON
45 minutes
Pour 4 personnes

MARCHÉ

4 betteraves cuites pas trop grosses
1 jaune d'œuf pour la dorure

Pour la sauce

300 g de cerises
1 pincée de cannelle
1 pincée de girofle
Sel, Hot Pepper

Pour la sauce gastrique

40 g de sucre
3 cuil. à soupe de vinaigre
   de cidre
1 cuil. à café de miso d'orge
2 cuil. à soupe de crème d'orge
20 g de beurre

Pour la pâte brisée

150 g de farine
70 g de beurre à température
   ambiante
2 cuil. à soupe d'eau
Sel

Préparer la sauce : dénoyauter les cerises, et les mettre dans une petite casserole. Recouvrir les noyaux de 35 cl d'eau, ajouter la cannelle et le girofle et cuire 20 minutes à petite ébullition.

Passer au chinois 25 cl de jus de cuisson sur les cerises dénoyautées. Assaisonner de sel et de Hot Pepper et cuire 15 minutes à petite ébullition.

Passer une nouvelle fois le jus de cuisson des cerises, réserver au chaud les cerises.

Dans une casserole, chauffer le sucre ; dès qu'il commence à blondir, déglacer* avec le vinaigre de cidre, réduire de moitié sur feu moyen. Ajouter le jus de cuisson des cerises, le miso, amener à ébullition, verser la crème d'orge diluée dans un demi-verre d'eau, en remuant constamment avec un fouet. Baisser le feu et cuire 20 minutes à feu doux. Incorporer en fin de cuisson le beurre en fouettant. Ajouter les cerises. Rectifier l'assaisonnement. Réserver la sauce au chaud au bain-marie.

Confectionner la pâte brisée : dans la cuve du robot, mélanger au crochet la farine, du sel et du beurre pendant 2 à 3 minutes, puis ajouter l'eau et tourner 1 minute, la pâte doit être homogène.

Éplucher les betteraves cuites.

Diviser la pâte en quatre. Sur le plan de travail fariné, abaisser* chaque morceau en formant des cercles de 10 cm de diamètre.

Placer une betterave au centre, rabattre les bords de la pâte sur le haut de la betterave de façon à la recouvrir entièrement. Recouvrir le dessus de chaque « rabote » d'un petit cercle de pâte de 4 cm de diamètre.

Disposer les « rabotes » espacées de 4 à 5 cm sur une plaque à pâtisserie recouverte d'une feuille de papier sulfurisé, les badigeonner de jaune d'œuf dilué avec 2 cuillerées à soupe d'eau et cuire au four préchauffé à 180 °C (th. 6) pendant 25 à 30 minutes.

Chou-fleur

Le chou-fleur est l'un des légumes les plus anciens. D'origine orientale, c'est en Bretagne qu'il est le plus cultivé.

Ce légume très délicat doit toujours être acheté avec ses feuilles vertes (d'ailleurs comestibles), qui en indiquent la fraîcheur. Les principales variétés de première saison sont la boule de neige, le nain très hâtif, le parisien et la merveille de toutes saisons.

Les propriétés du chou-fleur sont les mêmes que pour le chou vert.

En cuisine classique, l'appellation « Du Barry » indique la présence de chou-fleur.

Très souvent, on se borne à consommer l'inflorescence ; les côtes tendres, les feuilles et les trognons sont cependant excellents.

Peu calorique, le chou-fleur est riche en fibres, en potassium et en fer.

Sans gluten
—
VEGAN

BOUQUET *de* CHOU-FLEUR, SAUCE CANAILLE

C'est avec cette recette toute simple que l'on découvre le bonheur de manger du chou-fleur !… Il faut le déguster juste quand on l'égoutte, al dente et tout chaud. La sauce canaille peut s'utiliser aussi pour assaisonner des salades ou des légumes cuits à la vapeur ou à l'eau.

PRÉPARATION

15 minutes

CUISSON

6 minutes

Pour 4 personnes

MARCHÉ

600 g de chou-fleur
Gros sel

Pour la sauce canaille

150 g de tomates
1 jus de 1/2 citron
1 pincée de citron en poudre
1 cuil. à café de moutarde
1 cuil. à café de purée d'amandes
10 cl d'huile d'olive

1 cuil. à café de tamari
1 pincée de coriandre en poudre
1 pincée d'herbes de Provence
1 cuil. à café de persil haché
1 cuil. à café de cerfeuil haché
1 cuil. à café de basilic haché
1 cuil. à café de ciboulette émincée
Sel, Hot Pepper

Préparer la sauce canaille : monder, épépiner et détailler en brunoise* les tomates. Réunir dans un saladier tous les ingrédients de la sauce.

Diviser le chou-fleur cru en petits bouquets, les parer*.

Les cuire dans de l'eau bouillante salée pendant 6 minutes environ.

Égoutter et dresser les bouquets en reformant le chou. Présenter avec quelques branches de persil.

Arroser de sauce canaille chaque portion de chou-fleur.

CHARTREUSE *de* LÉGUMES *au* CHOU-FLEUR

L'appellation « chartreuse » ne s'emploie habituellement que pour désigner une préparation composée de perdrix et de choux. Anciennement, ce mot s'appliquait à des préparations où l'élément principal, situé au milieu du moule, était entouré de légumes disposés par rangées superposées.

VEGAN

PRÉPARATION
40 minutes

CUISSON
35 minutes
Pour 4 personnes

MARCHÉ
Pour la farce

100 g d'oignons
300 g de chou-fleur
250 g de champignons de Paris
40 g de flocons 5 céréales
2 à 3 cuil. à soupe de tofu mixé
1/2 cuil. à café de miso d'orge
10 cl d'eau
2 cuil. à soupe d'huile d'olive
Sel, poivre du moulin

Pour la garniture chartreuse

100 g de carottes
100 g de navets
80 g de haricots verts
100 g de céleri-rave
16 petites asperges
100 g de courgettes
80 g de petits pois
30 g de beurre pommade
  ou de graisse végétale

Pour la crème d'amande

10 cl de crème d'amande
5 cl de lait d'amande
1 cuil. à soupe de purée
  d'amande blanche
Le jus de 1/2 citron
1 pincée de sucre
1 cuil. à café de ciboulette émincée
1 cuil. à soupe de cébette émincée
1 cuil. à café de persil haché
1 cuil. à café de basilic haché
1 cuil. à café de cerfeuil haché
1 cuil. à café de coriandre hachée
1 cuil. à café de tamari
Sel, Hot Pepper

Beurrer grassement quatre moules de 6 cm de diamètre sur 3 ou 4 cm de hauteur.

Réaliser la farce : émincer les oignons, nettoyer les champignons et les tailler en paysanne*. Émincer le chou-fleur. Chauffer l'huile d'olive dans une casserole, y faire rissoler les oignons pendant 3 à 4 minutes, ajouter les champignons, prolonger la cuisson de 2 minutes. Ajouter le chou-fleur, couvrir d'un rond de papier sulfurisé et cuire 15 minutes à feu doux.

Ajouter les flocons 5 céréales, le miso et l'eau, amener à ébullition, remettre le rond de papier et cuire 10 minutes à feu doux.

Retirer du feu et lier avec 2 à 3 cuillerées à soupe de tofu mixé. Rectifier l'assaisonnement et réserver.

Pour la garniture, éplucher les carottes, les navets et le céleri-rave. Effiler les haricots verts. Couper les extrémités des courgettes. Éplucher et laver les asperges, couper les pointes en tiges de 3 ou 4 cm suivant la hauteur des moules et les réunir en bottillons de huit asperges.

Tronçonner les haricots de la hauteur des moules. Détailler en jardinière* de la hauteur des moules les carottes, les navets, le céleri-rave et les courgettes. Écosser les petits pois.

Dans une eau bouillante salée cuire *al dente* au fur et à mesure et individuellement tous les légumes, les égoutter, les rafraîchir aussitôt et les égoutter de nouveau.

Ranger tous les légumes côte à côte contre la paroi intérieure beurrée, en alternant les couleurs, et tapisser le fond des moules avec les petits pois. Garnir le centre de la préparation au chou-fleur, recouvrir de papier sulfurisé beurré et placer au bain-marie, au four préchauffé à 160 °C (th. 5-6) pendant 20 à 25 minutes.

Réunir et mixer finement tous les éléments de la crème.

Démouler les chartreuses de légumes et servir avec la crème d'amande aux fines herbes.

MOUSSE *de* CHOU-FLEUR *au* COULIS *de* FANES *de* NAVETS *et* GALETTES *aux* NOISETTES

Il faut profiter du printemps pour utiliser les fanes ou les feuilles des légumes primeur.
C'est la période où le goût n'est pas encore trop prononcé et la texture tendre.
Les galettes peuvent être dissociées de cette recette et servies avec une salade.

PRÉPARATION
35 minutes

CUISSON
50 minutes
Pour 4 personnes

MARCHÉ
1 chou-fleur (400 g environ)
45 g de beurre
20 cl de lait
25 g de farine
2 œufs
1 pincée de macis
Sel, Hot Pepper

Pour le coulis

25 g de poireau
25 g d'oignon
150 g de fanes de navets
1/2 cuil. à café de miso d'orge
10 cl de crème de riz
2 cuil. à soupe d'huile d'olive
Sel, poivre du moulin

Pour les moules

10 g de beurre
20 g de farine

Pour les galettes aux noisettes

80 g d'oignons
2 gousses d'ail
4 cuil. à soupe de flocons 5 céréales
2 cuil. à soupe de levure
  alimentaire maltée
100 g de pain semi-complet
1 cuil. à soupe de gruyère râpé
30 g de noisettes
4 cuil. à soupe d'huile d'olive
1 pincée d'herbes de Provence
Sel, Hot Pepper

Beurrer et fariner quatre moules et réserver au réfrigérateur.

Râper le chou-fleur et le faire suer* avec 20 g de beurre dans une cocotte en fonte pendant 5 minutes à feu moyen, en mélangeant très souvent avec une spatule en bois. Retirer du feu quand la préparation est bien sèche et sans coloration.

Confectionner une béchamel avec 25 g de beurre et la farine pendant 4 minutes sans coloration puis verser le lait, mélanger avec un fouet jusqu'à l'ébullition et cuire 10 minutes à feu très doux.

Verser sur la préparation de chou-fleur. Séparer les blancs des jaunes d'œufs. Incorporer les jaunes dans la préparation. Assaisonner de sel, de macis et du Hot Pepper.

Monter* les blancs en neige très ferme et incorporer délicatement à la préparation puis en garnir les moules, recouvrir du papier sulfurisé beurré et cuire au bain-marie au four préchauffé à 180 °C (th. 6) pendant 35 minutes.

Réaliser le coulis : émincer l'oignon et le poireau, émincer en chiffonnade les fanes de navets. Dans une casserole, chauffer l'huile d'olive et y faire suer à petit feu l'oignon et le poireau pendant 5 minutes, ajouter la chiffonnade, couvrir d'un rond de papier sulfurisé et cuire 10 minutes à feu doux. Ajouter le miso et la crème de riz et donner 5 minutes de petite ébullition. Mixer finement (suivant la consistance ajouter 2 à 3 cuillerées à soupe d'eau) assaisonner de sel et de poivre, passer au chinois-étamine.

Confectionner les galettes aux noisettes : ciseler les oignons, hacher l'ail, émincer le pain, torréfier* et concasser* les noisettes. Dans une cocotte, faire rissoler les oignons, l'ail et les herbes de Provence dans 2 cuillerées à soupe d'huile d'olive, couvrir d'un rond de papier sulfurisé et cuire 5 à 6 minutes à feu doux. Ajouter les flocons, verser 15 cl d'eau et cuire 5 minutes à feu doux. Retirer du feu et incorporer en remuant avec une spatule la levure maltée, le pain et le gruyère. Mixer finement la préparation. Débarrasser dans un saladier et incorporer les noisettes.

Avec un peu de farine, façonner des rouleaux puis détailler des tranches de 1 cm d'épaisseur. Dans une poêle, faire dorer les galettes avec le restant d'huile d'olive pendant quelques minutes sur feu moyen.

Démouler une mousse de chou-fleur sur chaque assiette, napper de coulis de fanes de navet et accompagner de deux ou trois galettes.

STRUDEL *de* CHOU-FLEUR *et* CHIFFONNADE *de* CHOU ROUGE *aux* RAISINS

Le Strudel est une spécialité autrichienne garnie de pommes avec une pâte très fine et sucrée. Pour cette recette on part également d'une pâte à nouilles que l'on enroule comme un Strudel. Le chou-fleur s'harmonise parfaitement avec le chou rouge confit aux raisins.

PRÉPARATION
40 minutes

CUISSON
1 heure 10

Pour 4 personnes

MARCHÉ

Pour la pâte à Strudel

100 g de farine
1 pincée de sel
2 cuil. à soupe d'huile d'olive
4 cl d'eau

Pour la farce

100 g de blancs de poireaux
100 g d'oignons
400 g de chou-fleur
20 g de noix
20 g de noisettes
20 g d'amandes
3 cuil. à soupe de crème d'orge
2 cuil. à soupe d'huile d'olive
Sel, Hot Pepper

Pour la chiffonnade

300 g de chou rouge
60 g de raisins
2 cuil. à soupe de miel
2 cuil. à soupe d'huile d'olive
1 cuil. à café de quatre-épices
1 pincée de girofle et de cannelle
Sel

Pour la finition

1 jaune d'œuf
1 cuil. à soupe de graines
  de sésame
1 cuil. à soupe de graines
  de tournesol

Préparer la pâte à Strudel : dans la cuve du robot, mélanger avec le crochet la farine, le sel, l'huile d'olive et l'eau pendant 3 minutes, la pâte doit être lisse et très homogène. Envelopper la pâte de film alimentaire et réserver sur le plan de travail.

Pour la farce, émincer le chou-fleur. Détailler en paysanne* les oignons et les poireaux. Concasser les noix, les noisettes et les amandes, les torréfier légèrement à la poêle.

Dans une cocotte, chauffer l'huile d'olive et faire suer* les oignons et les poireaux pendant 5 minutes à feu moyen en remuant fréquemment.

Ajouter le chou-fleur, bien mélanger, assaisonner de sel et de Hot Pepper, verser un verre d'eau, couvrir d'un rond de papier sulfurisé et cuire 10 minutes à feu doux.

Diluer la crème d'orge dans un verre d'eau, la verser dans le chou-fleur en mélangeant constamment et cuire 5 minutes à feu doux. Retirer du feu, incorporer les fruits secs torréfiés et rectifier l'assaisonnement. Étaler sur un plateau afin d'activer le refroidissement.

Préparer la chiffonnade : superposer quelques feuilles de chou rouge, les recouper en deux dans le sens de la longueur et les émincer très finement sur la partie la plus étroite.

Dans une cocotte, chauffer l'huile d'olive, y faire rissoler la chiffonnade pendant 3 minutes à feu vif, couvrir d'un rond de papier sulfurisé et cuire 15 minutes à feu doux.

Ajouter le miel, les raisins, le sel, le quatre-épices, le girofle et la cannelle, cuire 10 minutes à feu moyen puis retirer le rond de papier et prolonger la cuisson de 10 à 15 minutes à feu doux.

Abaisser la pâte de l'épaisseur d'une feuille de papier à cigarette sur une feuille de papier sulfurisé avec un peu de farine. Répartir la farce sur toute la surface sur 3 à 4 mm d'épaisseur. Prendre le bord du papier sulfurisé devant soi afin de faciliter l'enroulement de la pâte qui se termine par un gros cylindre de 5 cm de diamètre environ.

Ranger le Strudel sur une plaque à pâtisserie, le badigeonner de jaune d'œuf battu avec 2 cuillerées à soupe d'eau, saupoudrer de graines de tournesol et de graines de sésame.

Cuire au four préchauffé à 180 °C (th. 6) pendant 35 minutes.

GALANTINE ∂'HERBES, SAUCE TOMATE

Le principe reste le meme que pour la recette de la Galantine de pâtes aux petits légumes de la page 167, cependant la farce et la sauce changent.

PRÉPARATION
40 minutes

CUISSON
1 heure 30
Pour 4 personnes

MARCHÉ
Pour la pâte à nouilles

200 g de farine, 2 œufs
2 cuil. à soupe d'huile d'olive
1 pincée de sel

Pour la sauce

100 g d'oignons, 2 gousses d'ail
350 g de tomates
30 g de concentré de tomates
30 g de flocons de tomate
1/2 cuil. à café de miso d'orge
2 cuil. à soupe d'huile d'olive
1 pincée d'herbes de Provence
Sel, Hot Pepper

Pour la farce

500 g d'épinards
100 g de poireaux
600 g de verts de blettes
100 g d'oignons, 1 gousse d'ail
100 g de ricotta, 1 œuf
2 cuil. à soupe d'huile d'olive
1 cuil. à soupe de persil haché
1 cuil. à soupe de cerfeuil haché
1 cuil. à soupe de ciboulette
    émincée
1 pincée d'herbes de Provence
1 pincée de macis
Sel, Hot Pepper

Pour la cuisson de la galantine

2 feuilles de sauge
1 branche de thym
2 feuilles de laurier

Pour la finition

2 cuil. à soupe de parmesan râpé

Réaliser la pâte à nouilles : dans la cuve du robot mélanger avec le crochet la farine, les œufs, l'huile d'olive et le sel pendant 1 à 2 minutes. Retirer la pâte et l'envelopper dans du film alimentaire.

Pour la sauce, ciseler finement les oignons et hacher finement l'ail. Monder*, épépiner et concasser* les tomates. Dans une cocotte à fond épais, chauffer l'huile d'olive, y faire rissoler les oignons, l'ail et les herbes de Provence pendant 4 minutes à feu moyen puis ajouter les tomates concassées avec du sel, le miso, du Hot Pepper, le concentré de tomates et les flocons, amener à ébullition, bien mélanger, couvrir d'un rond de papier sulfurisé et cuire pendant 20 minutes à feu doux.

Pour la farce, émincer en fine paysanne* les oignons et les poireaux. Hacher l'ail. Trier et laver les verts de blettes et les épinards, les blanchir ensemble dans de l'eau bouillante salée pendant 3 minutes, les rafraîchir, les égoutter et les presser fortement puis les concasser.

Dans une cocotte, chauffer l'huile d'olive et y faire suer* les oignons et les poireaux avec les herbes de Provence pendant 4 à 5 minutes à feu moyen avec un rond de papier sulfurisé. Ajouter l'ail et le mélange blettes-épinards, cuire à feu doux pendant 10 minutes. Assaisonner de sel, du Hot Pepper et du macis. Retirer du feu et incorporer la ricotta, les fines herbes et l'œuf. Débarrasser sur une grande plaque pour refroidir rapidement la farce.

Façonner la galantine : abaisser* la pâte à nouilles sur 2 mm sur une feuille de papier sulfurisé.

Étaler sur le plan de travail un linge humidifié et glisser dessus la pâte bien à plat. Répartir la farce sur la pâte en égalisant la surface avec une spatule.

Enrouler la pâte à nouilles sur elle-même en s'aidant du linge, enrouler ensuite le linge sur le rouleau de pâte et bien ficeler les extrémités et le milieu avec une ficelle.

Dans une cocotte ovale (ou une poissonnière), cuire la galantine dans de l'eau bouillante avec du sel, la sauge, le thym et le laurier. Maintenir à petit frémissement et à couvert pendant 45 à 50 minutes à feu doux. Laisser refroidir la galantine dans son bouillon, égoutter et mettre au réfrigérateur dans son linge.

Retirer délicatement le linge de la galantine, détailler des tranches régulières de 1 cm d'épaisseur. Les ranger dans un plat creux, napper de sauce tomate, parsemer de parmesan râpé et passer au four préchauffé à 180 °C (th. 6) pendant 15 minutes.

PAUPIETTES *de* BLETTES CHAMPS SOLEIL

C'est au restaurant de Cannes, Le Montagard, *que j'avais créé cette recette en hommage à Henri et Ginou pour les merveilleux produits de l'olivier qu'ils transforment.*

PRÉPARATION
20 minutes

CUISSON
35 minutes

Pour 4 personnes

MARCHÉ
8 feuilles de blettes

Pour la farce
100 g d'échalotes
200 g de champignons de Paris
50 g d'olives noires
30 g de purée d'olives
2 cl d'huile d'olive
1/2 cuil. à café d'herbes de Provence
50 g de mie de pain mixée
Sel, Hot Pepper

Pour le gratin
600 g de pommes de terre
150 g d'oignons
3 gousses d'ail
50 g d'olives noires
5 cl d'huile d'olive

Pour la sauce
200 g de tomates
2 cébettes
2 cuil. à soupe de jus de citron
1/2 cuil. à soupe de tamari
Sel

Couper les feuilles de blettes au ras des côtes, les blanchir 3 minutes dans de l'eau bouillante salée puis les rafraichir.

Préparer la farce : ciseler les échalotes. Laver, trier et concasser* les champignons. Hacher les olives noires.

Faire suer* les échalotes dans l'huile d'olive, ajouter les champignons et cuire 4 à 5 minutes à feu moyen jusqu'au complet dessèchement. Retirer du feu.

Ajouter les olives noires hachées, la purée d'olives, les herbes de Provence et lier avec la mie de pain. Rectifier l'assaisonnement en sel et Hot Pepper (attention les olives ont tendance à saler).

Préparer le gratin : tailler les oignons en paysanne*. Émincer les pommes de terre sur 2 mm d'épaisseur. Hacher l'ail et les olives.

Faire rissoler dans l'huile d'olive les oignons avec l'ail pendant 5 minutes à feu moyen puis y mélanger les pommes de terre et les herbes de Provence. Mettre dans un plat à gratin, verser 50 cl d'eau et cuire au four préchauffé à 180 °C (th. 6) pendant 25 minutes.

Poser à plat chaque feuille de blette et éliminer la côte blanche. Poser 1 grosse cuillerée à soupe de farce, rabattre les côtés de la feuille sur la farce et enrouler de bas en haut.

Poser les paupiettes de blettes sur les pommes de terre, les badigeonner d'huile d'olive et remettre au four 10 minutes.

Préparer la sauce : monder*, épépiner et détailler en brunoise* les tomates. Émincer finement les cébettes.

Mélanger dans un petit saladier le jus de citron, le tamari, les cébettes, les tomates et le sel.

À la sortie du four, arroser les paupiettes avec la sauce et servir aussitôt.

BLANQUETTE *de* BLETTES *au* POIVRE *du* SICHUAN

La blanquette est un plat incontournable de la cuisine traditionelle française.
Elle fait partie de notre patrimoine, comme bien d'autres spécialités.
Pour réaliser cette recette, des côtes de blettes bien blanches et épaisses seront parfaites.

PRÉPARATION
30 minutes

CUISSON
35 minutes

Pour 4 personnes

MARCHÉ
500 g de côtes de blettes
150 g de blancs de poireaux
100 g de carottes
80 g d'oignons
20 g de céleri en branche
1 cuil. à café de jus de citron
30 g de beurre
20 g de farine
40 cl d'eau
10 cl de crème fraîche
1/2 cuil. à café de miso d'orge
1 cuil. à soupe d'huile d'olive
Sel, poivre du Sichuan

Pour la garniture
150 g de petits champignons de Paris
150 g de boules de courgette
150 g de petits oignons blancs
1 cuil. à café d'algues iziki réhydratées
4 œufs pochés
12 petites tranches de pain semi-complet
30 g de beurre
3 pincées de sucre
2 cuil. à soupe d'huile d'olive
1 cuil. à soupe de vinaigre
1 cuil. à soupe de persil
Sel

Trier les côtes de blettes en les coupant en morceaux pour enlever les fils. Les cuire avec le jus de citron dans de l'eau bouillante salée pendant 12 minutes à feu moyen. Elles doivent être *al dente*.

Détailler en petite mirepoix* les poireaux, les carottes, les oignons et le céleri. Chauffer l'huile d'olive dans une cocotte, y faire suer*les légumes, poser un rond de papier sulfurisé et cuire 10 minutes à feu moyen

Faire fondre le beurre dans une casserole, ajouter la farine et cuire le roux* sans coloration pendant 4 à 5 minutes. Ajouter l'eau, porter à ébullition avec le miso, du sel, du poivre, bien mélanger au fouet et cuire pendant 15 minutes à feu doux.

Verser la sauce sur les légumes dans la cocotte. Ajouter les côtes de blettes égouttées et la crème fraîche, laisser mijoter 6 minutes.

Laver et trier les champignons. Cuire séparément dans trois petites casseroles les petits oignons, les champignons et les courgettes avec 10 g de beurre, du sel et une pincée de sucre. Ajouter 3 cuillerées à soupe d'eau dans les oignons et la courgette. Poser un rond de papier sulfurisé sur chaque et cuire à feu moyen, les légumes doivent être *al dente*.

Verser le jus de cuisson des champignons dans la blanquette.

Dans une poêle, faire dorer les tranches de pain avec un peu d'huile d'olive.

Pocher les œufs 3 minutes dans une casserole avec 50 cl d'eau frémissante et le vinaigre.

Au moment de servir, verser la préparation en sauce dans chaque assiette, répartir les trois garnitures, disposer les croûtons et les œufs pochés, décorer avec le persil haché et les algues iziki, parfumer avec quelques tours de poivre du Sichuan.

CANNELLONIS *aux* HERBES *et à la* RICOTTA

Les cannellonis peuvent se transformer en lasagnes ou en raviolis
car c'est la même pâte, la même farce et les mêmes tomates concassées.

PRÉPARATION
30 minutes

CUISSON
50 minutes

Pour 4 personnes

MARCHÉ
1 paquet de cannellonis à farcir

Pour la farce

100 g de poireaux
300 g de verts de blettes
100 g de courgettes
1 gousse d'ail
1 œuf
100 g de ricotta
2 cuil. à soupe d'huile d'olive
1 pincée de sauge
1 pincée d'herbes de Provence
1 cuil. à soupe de persil haché
1 cuil. à soupe de cerfeuil haché
1 pincée de macis
Sel, Hot Pepper

Pour les tomates concassées

400 g de tomates
100 g d'oignons
1 gousse d'ail
20 g de flocons de tomate
1 cuil. à soupe de concentré
  de tomates
1/2 cuil. à café de miso d'orge
1/2 cuil. à café de sucre
3 cuil. à soupe d'huile d'olive
1 pincée d'herbes de Provence
1 feuille de laurier
1 pincée de sarriette
1/2 cuil. à café de coriandre
Sel, Hot Pepper

Pour la finition

20 g de parmesan

Préparer la farce : zébrer* la courgette, trier et laver les poireaux. Les tailler en paysanne*.

Laver les verts de blettes, les blanchir pendant 4 minutes, puis les rafraîchir, les égoutter, les presser fortement et les concasser*.

Hacher l'ail. Dans une cocotte, chauffer l'huile d'olive, y faire rissoler les poireaux pendant 5 minutes à feu moyen. Ajouter l'ail et la courgette, mélanger, faire suer* 5 minutes à feu doux, puis ajouter les verts de blettes, ajouter du sel, du Hot Pepper, les herbes de Provence, la sauge et le macis. Couvrir d'un rond de papier sulfurisé et cuire 5 minutes à feu doux. Retirer du feu.

Incorporer la ricotta, le persil, le cerfeuil et l'œuf battu en omelette. Bien mélanger et rectifier l'assaisonnement en sel et Hot Pepper.

Pour les tomates concassées, ciseler finement les oignons, hacher finement l'ail. Monder*, épépiner et concasser* les tomates.

Dans une casserole à fond épais, chauffer l'huile d'olive et y faire rissoler les oignons avec l'ail pendant 3 minutes à feu vif. Baisser le feu, ajouter les herbes de Provence, le laurier, la sarriette et la coriandre puis verser les tomates concassées, le concentré de tomates, les flocons et le miso. Amener à ébullition, assaisonner de sel, du sucre et Hot Pepper, poser un rond de papier sulfurisé et cuire 15 minutes à feu doux.

Garnir un plat à gratin avec les tomates concassées. Farcir généreusement les cannelloni et les ranger côte à côte sur les tomates concassées. Saupoudrer de parmesan râpé, recouvrir d'un papier sulfurisé et cuire au four préchauffé à 180 °C (th. 6) pendant 35 minutes.

CÉLERI-RAVE FARCI *à la* PAYSANNE, HARICOTS VERTS *aux* FRUITS SECS, SAUCE ROQUEFORT

Les noisettes, les amandes, les noix et les pignons se marient très bien avec le roquefort. Cette note de fromage s'accorde également très bien avec le céleri-rave et les haricots verts. L'avoine est une céréale très énergétique, très riche en protéines et en lipides.

PRÉPARATION
30 minutes

CUISSON
45 minutes
Pour 4 personnes

MARCHÉ
Pour le céleri-rave farci

800 g de céleri-rave
50 g de poireaux
40 g d'oignon
50 g de carottes
80 g de champignons de Paris
20 g de céleri-branche
40 g de navets
80 g de flocons d'avoine
20 g de parmesan
2 cuil. à soupe d'huile d'olive
1 branche de thym
2 feuilles de laurier
Sel, Hot Pepper

Pour les haricots verts

400 g de haricots verts extrafins
60 g d'échalotes
30 g de beurre
20 g de noix, de pignons, d'amandes et de noisettes
Sel, poivre du moulin

Pour la sauce

50 g d'oignons, 1 gousse d'ail
1/2 cuil à café de miso d'orge
10 cl d'eau
1 cuil. à soupe de crème d'avoine (farine)
50 g de roquefort
1 cuil. à soupe d'huile d'olive
Sel, Hot Pepper

Éplucher le céleri-rave et le diviser en quatre tronçons de 4 cm d'épaisseur. Les blanchir* 5 minutes dans de l'eau bouillante salée, les rafraîchir, les égoutter et les creuser à mi-profondeur.

Préparer la farce : détailler en paysanne* l'oignon, le poireau, la carotte, les champignons, le céleri-branche et le navet.

Dans une cocotte, chauffer l'huile d'olive, verser tous les légumes et y faire rissoler 3 minutes à feu vif puis baisser le feu, assaisonner de sel et Hot Pepper, ajouter une branche de thym et les feuilles de laurier. Mouiller avec 20 cl d'eau, poser un rond de papier sulfurisé dessus et cuire 15 minutes à feu doux.

Incorporer les flocons d'avoine, mélanger et cuire 8 minutes, les flocons doivent absorber tout le liquide et former une liaison.

Dans un plat à gratin huilé, poser côte à côte les tronçons de céleri-rave. Garnir généreusement de farce, saupoudrer de parmesan râpé et cuire au four préchauffé à 170 °C (th. 5-6) pendant 20 minutes.

Effiler les haricots verts et ciseler les échalotes. Cuire les haricots verts dans de l'eau bouillante salée pendant 7 à 8 minutes. Égoutter et rafraîchir.

Dans une poêle, chauffer le beurre, y faire suer* les échalotes à feu moyen pendant 2 à 3 minutes, ajouter les haricots, assaisonner de sel et de poivre, parsemer tous les fruits secs et faire sauter 2 minutes environ.

Réaliser la sauce : émincer l'oignon et écraser l'ail. Dans une casserole chauffer l'huile d'olive et y faire rissoler l'oignon et l'ail pendant 3 minutes à feu moyen. Ajouter le miso et la crème d'avoine diluée dans l'eau, amener à ébullition et cuire 10 minutes à feu doux.

Mixer, incorporer le roquefort, rectifier l'assaisonnement en sel et Hot Pepper.

Disposer harmonieusement un céleri-rave farci avec un bouquet de haricots verts parsemé de fruits secs puis verser un cordon de sauce.

AUMÔNIÈRE *de* CÉLERI-RAVE *à la* CRÈME *de* NOISETTE, TEMPEH *et* NAVETS SAUTÉS

Le céleri et la noisette s'accordent parfaitement. Cette association est un bon moyen de faire apprécier le céleri-rave aux plus irréductibles.

PRÉPARATION
20 minutes

CUISSON
20 minutes

Pour 4 personnes

MARCHÉ

Pour la pâte à crêpes
80 g de farine de blé
1 œuf
1 pincée de sel
30 cl de lait
1 cuil. à café d'huile d'olive

Pour la farce
300 g de céleri-rave
100 g de céleri-branche
1 cuil. à soupe de purée de noisettes
10 cl de crème de soja
2 cuil. à soupe d'huile d'olive
Sel

Pour les navets sautés
300 g de navets primeur
150 g de tempeh
2 cuil. à soupe d'huile d'olive
1 cuil. à soupe de graines de sésame
Sel

Dans un saladier, mélanger au fouet tous les ingrédients de la pâte à crêpes afin d'obtenir une pâte lisse. Confectionner quatre crêpes pas trop épaisses de 12 à 15 cm de diamètre.

Pour la farce, éplucher et détailler en petite mirepoix* le céleri-rave. Le cuire dans de l'eau bouillante salée pendant 15 minutes.

Éplucher les côtes de céleri-branche, les détailler en brunoise* et les faire sauter à la poêle avec l'huile d'olive pendant 5 minutes à feu doux.

Égoutter le céleri-rave et le mixer très chaud avec la purée de noisettes et la crème de soja, ajouter la brunoise de céleri-branche. Mélanger et rectifier l'assaisonnement. Réserver au chaud au bain-marie.

Éplucher les navets, couper des tranches de 2 mm d'épaisseur avec une mandoline. Couper le tempeh en deux dans le sens de la longueur et l'émincer en tranches de 5 mm.

Plonger les tranches de navet dans de l'eau bouillante salée pendant 3 minutes, rafraîchir dans une eau glacée et égoutter.

Dans une poêle, chauffer l'huile d'olive, faire sauter les tranches de navet et de tempeh pendant 3 à 4 minutes sur feu moyen, saupoudrer de graines de sésame, cuire encore 2 minutes. Assaisonner de sel.

Étaler les crêpes sur le plan de travail. Garnir le centre de 3 à 4 cuillerées à soupe de farce et refermer la crêpe en réunissant les bords pour former un petit sac. Fermer avec une fine tige de poireau ou de ciboulette.

Présenter chaque aumônière de céleri-rave avec un bouquet de tempeh aux navets.

Sans gluten
—
VEGAN

CAILLETTE *de* TOFU *aux* HERBES

Autrefois, dans les campagnes, on tuait le cochon une fois l'an, ce qui donnait lieu à des festivités et à de multiples préparations culinaires, dont la fameuse caillette. Nous n'allons pas tuer le cochon, le tofu va remplacer les abats et la feuille de riz, la crépine.

PRÉPARATION
20 minutes

CUISSON
45 minutes

Pour 4 personnes

MARCHÉ

8 feuilles de riz
  ou à défaut 8 feuilles de brick
100 g d'oignons
80 g de côtes de blettes
500 g d'épinards
30 g de soja texturé
1 gousse d'ail
100 g de tofu mixé
1/2 cuil. à café de miso d'orge

30 g de levure alimentaire maltée
2 cuil. à soupe d'huile d'olive
1 cuil. à soupe de persil haché
1 cuil. à soupe de ciboulette
  émincée
1 pincée d'herbes de Provence
1 pincée de thym
1 cuil. à café de sauge hachée
Sel, Hot Pepper

Réhydrater le soja texturé. Ciseler les oignons, hacher finement l'ail. Détailler en brunoise* les côtes de blettes.

Trier, laver et plonger dans de l'eau bouillante salée les épinards pendant 3 minutes puis les rafraîchir, les égoutter, les presser et les hacher au couteau assez finement.

Dans une cocotte, chauffer l'huile d'olive et y faire rissoler les oignons avec l'ail pendant 3 minutes sur feu moyen. Ajouter le soja texturé égoutté et cuire 3 minutes en remuant fréquemment.

Ajouter les côtes de blettes, les herbes de Provence, le thym, la sauge et le miso, bien mélanger et cuire à nouveau 4 minutes, puis incorporer les épinards et amener à ébullition.

Retirer du feu, lier le tout avec le tofu mixé en fine purée, le persil, la ciboulette et la levure alimentaire maltée. Bien mélanger, rectifier l'assaisonnement, la texture doit être assez compacte, sinon incorporer quelques cuillerées à soupe de chapelure.

Façonner des boules à l'aide d'une petite louche, poser la farce sur la feuille de riz préalablement trempée dans de l'eau tiède, replier les bords de la galette afin de la farcir et les déposer dans un plat à gratin, la pliure dessous.

Badigeonner les caillettes d'huile d'olive et cuire au four préchauffé à 160 °C (th. 5-6) pendant 30 à 35 minutes.

Servir chaud ou froid, accompagné de cornichons, d'une salade, d'une pomme de terre ou d'une céréale semi-complète.

HERBES *au* GRATIN *et* POMMES *au* FOUR

Ce gratin est très rapide à préparer et la cuisson des pommes au four vous donne une grande liberté. En utilisant des pommes de terre bio, on peut même manger la peau une fois qu'elles sont rôties… une vraie gourmandise !

PRÉPARATION
20 minutes

CUISSON
40 minutes

Pour 4 personnes

MARCHÉ
Pour le gratin

300 g de verts de blettes
500 g d'épinards
80 g de poireaux
50 g d'échalotes
50 g de cresson
2 gousses d'ail
2 cuil. à soupe d'huile d'olive
1 cuil. à soupe de persil haché
1 cuil. à soupe de cerfeuil haché
1 cuil. à soupe de ciboulette émincée
1 cuil. à café d'estragon haché
1/2 cuil. à café d'herbes de Provence
2 œufs
10 cl de lait
30 g de parmesan
150 g de pain au levain
1 pincée de macis
Sel, Hot Pepper

Pour la finition

2 cuil. à soupe de chapelure
1 filet d'huile d'olive

Pour les pommes au four

4 grosses pommes de terre
1 cuil. à soupe de ciboulette émincée
80 g de fromage blanc battu
Gros sel

Bien laver les pommes de terre, les poser sur un lit de gros sel dans un plat à gratin et cuire au four préchauffé à 200 °C (th. 6-7) pendant 40 minutes environ.

Au sortir du four, faire une incision en croix sur les pommes de terre et presser fortement la base afin de faire ressortir un peu de pulpe, poser 1 cuillerée à soupe de fromage blanc et une pincée de ciboulette.

Pour le gratin, râper le parmesan. Faire tremper le pain dans un peu d'eau. Laver les blettes et les épinards, les plonger ensemble dans de l'eau bouillante salée pendant 3 minutes, les passer sous l'eau froide et les égoutter. Les presser pour retirer l'excédent d'eau et les hacher.

Éplucher les échalotes, laver les poireaux et le cresson. Émincer les poireaux, les hacher avec le cresson et les échalotes. Éplucher et hacher l'ail. Faire suer* le tout dans une casserole avec l'huile d'olive pendant 3 minutes à feu moyen.

Égoutter et presser le pain.

Dans un grand saladier, bien mélanger au fouet les épinards, les blettes et le pain. Ajouter au mélange les œufs battus en omelette, le lait, le parmesan, le persil, le cerfeuil, la ciboulette, l'estragon, les herbes de Provence et la préparation de la casserole. Assaisonner de sel, de Hot Pepper et du macis. Bien mélanger le tout.

Verser la préparation dans un plat à gratin préalablement huilé, saupoudrer de chapelure, arroser d'un filet d'huile d'olive et cuire au four à 180 °C (th. 6) pour 30 minutes.

Servir bien chaud.

Annexes

TERMES TECHNIQUES

Abaisser la pâte : étaler un morceau de pâte avec un rouleau à pâtisserie.

Blanchir : départ à l'eau froide en général, sauf pour les légumes verts.
1. Immerger un élément dans l'eau froide et porter le tout à ébullition. Laisser bouillir quelques secondes ou minutes. 2. Plonger un élément dans une eau en ébullition. Laisser bouillir quelques secondes ou minutes.

Canneler : pratiquer des cannelures dans la peau ou la chair de fruits ou de légumes dans un but décoratif.

Chemiser : tapisser l'intérieur d'un moule avec un élément qui facilitera le démoulage.

Chiqueter (les bords) : faire de petites incisions à l'aide d'une pince ou d'un petit couteau sur le pourtour d'une pâte crue afin d'en améliorer la présentation.

Clarifier : 1. Faire fondre doucement du beurre au bain-marie pour éliminer l'écume et le petit-lait par décantation. 2. Clarifier des œufs : séparer le blanc du jaune d'un œuf en laissant s'écouler le premier en cassant la coquille, puis par passages successifs du jaune d'une demi-coquille dans l'autre. 3. Faire une clarification : rendre limpide un « bouillon » (pot-au-feu, fumet…) en utilisant la coagulation du blanc d'œuf.

Concasser : réduire un produit en morceaux plus ou moins fins et réguliers à l'aide d'un gros couteau. Hacher grossièrement.

Cuire à l'anglaise : cuire un aliment dans de l'eau bouillante salée et à découvert.

Cuire à l'étouffée : cuisson lente, dans un récipient couvert afin d'empêcher l'évaporation.

Cuire à l'étuvée : cuire à couvert, souvent des légumes, dans leur eau de constitution et avec un corps gras pour conserver toute la saveur.

Remerciements

Je dédie ce livre à l'espérance dans l'avenir et à la jeunesse ; pour Léa-Marie, Louise, Jeanne, Alphonse et Honorine (mes petits-enfants).

Une pensée affectueuse pour la « Tribu » Montagard : Éliane, Blandine, Stéphanie, Walter et Fabien, et en particulier Magali et Cyril pour leur assistance en dactylographie.

Merci à Jean-François Rivière, photographe talentueux et patient…

Merci à Virginie Martin de m'avoir supporté pour mes exigences professionnelles, tu es une styliste géniale…

À Florence Lécuyer pour son dynamisme. Ma reconnaissance pour avoir accepté la réalisation et l'édition de ce livre de recettes et à toute l'équipe (et elles sont nombreuses !) pour le travail de qualité sur cet ouvrage.

Photogravure : Articrom

Achevé d'imprimer sur les presses
de l'imprimerie Pollina en septembre 2017

N° d'impression : 82200

Dépôt légal : octobre 2013

Imprimé en France